漢検 5級

〔書き込み式〕

問題集

高橋書店

本書の特長と使い方

この本は漢検５級によく出る問題を分析し、ミニテスト形式で対策できる問題集です。

１回分は、見開き２ページ、10分で終わるようにまとめました。気軽に始められ、すぐに結果が見えるから、部活や塾で忙しい人や、漢字の勉強が苦手な人にも解きやすい構成になっています。

複数ジャンルを一度に解けるから
実戦に強い！

問題は10年分を分析し「でる順」で配置。効率的に対策できる

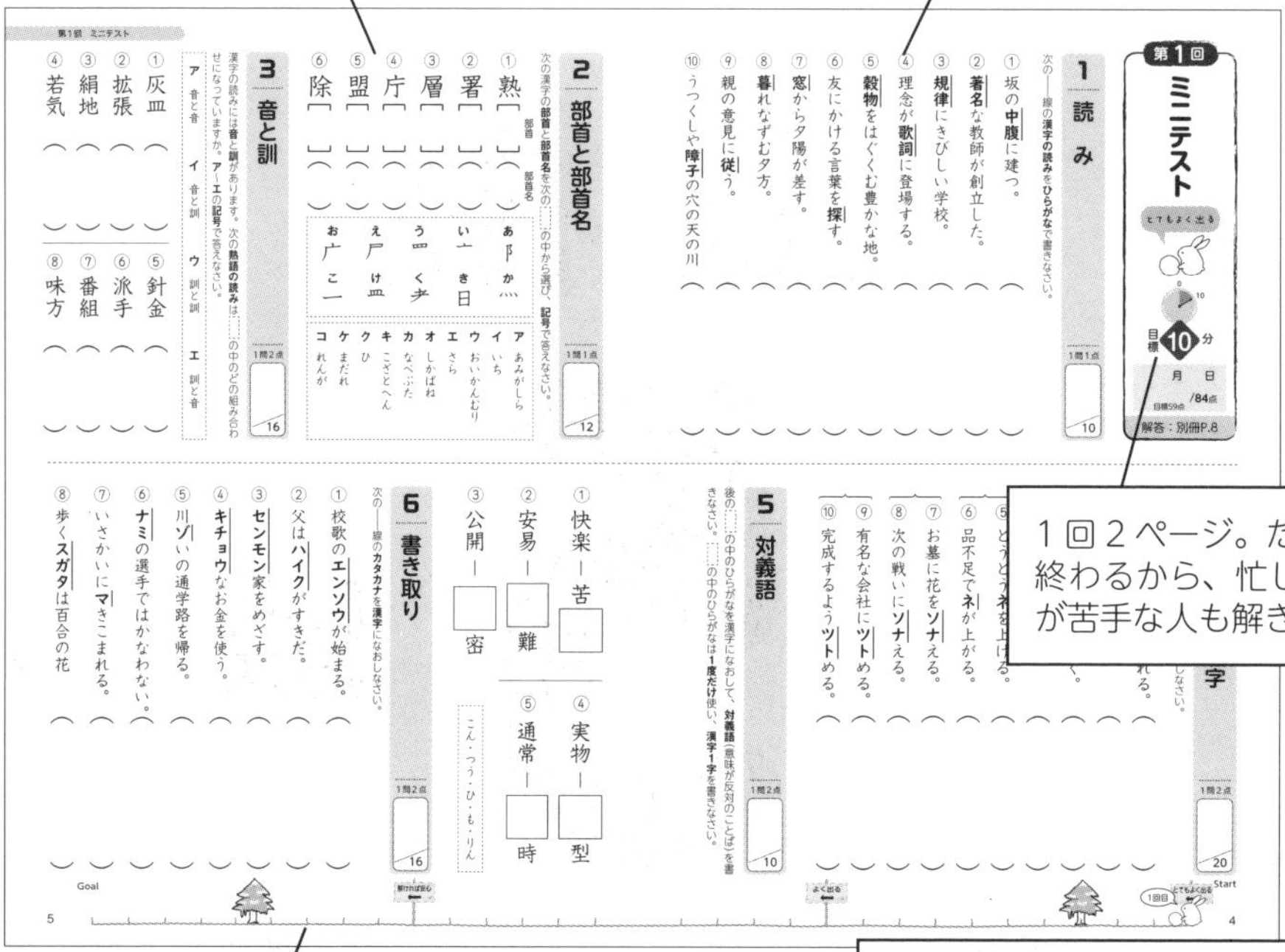
第1回　ミニテスト

第１回　ミニテスト　とてもよく出る　目標10分　月　日　/84点　解答：別冊P.8

1 読み　次の——線の漢字の読みをひらがなで書きなさい。
① 坂の中腹に建つ。
② 著名な教師が創立した。
③ 規律にきびしい学校。
④ 理念が歌詞に登場する。
⑤ 穀物をはぐくむ豊かな地。
⑥ 友にかける言葉を探す。
⑦ 窓から夕陽が差す。
⑧ 暮れなずむ夕方。
⑨ 親の意見に従う。
⑩ うつくしや障子の穴の天の川
1問1点　10

2 部首と部首名　次の漢字の部首と部首名を後の□の中から選び、記号で答えなさい。
① 熟　② 署　③ 層　④ 庁　⑤ 盟　⑥ 除
部首　部首名
あ 阝　い 亠　う 罒　え 尸　お 广
か 灬　き 日　く 耂　け 皿　こ 一
ア あみがしら　イ いち　ウ おいかんむり　エ しかばね　オ なべぶた　カ さら　キ ひ　ク こざとへん　ケ まだれ　コ れんが
1問1点　12

3 音と訓　漢字の読みには音と訓があります。次の熟語の読みは□の中のどの組み合わせになっていますか。ア〜エの記号で答えなさい。
ア 音と音　イ 音と訓　ウ 訓と訓　エ 訓と音
① 灰皿　② 拡張　③ 絹地　④ 若気
⑤ 針金　⑥ 派手　⑦ 番組　⑧ 味方
1問2点　16

⑥ 品不足でネが上がる。
⑦ お墓に花をソナえる。
⑧ 次の戦いにソナえる。
⑨ 有名な会社にツトめる。
⑩ 完成するようツトめる。
1問2点　20

5 対義語　後の□の中のひらがなを漢字になおして、対義語（意味が反対のことば）を書きなさい。□の中のひらがなは１度だけ使い、漢字１字を書きなさい。
① 快楽－苦□
② 安易－□難
③ 公開－□密
④ 実物－□型
⑤ 通常－□時
こん・つう・ひ・も・りん
1問2点　10

6 書き取り　次の——線のカタカナを漢字になおしなさい。
① 校歌のエンソウが始まる。
② 父はハイクがすきだ。
③ センモン家をめざす。
④ キチョウなお金を使う。
⑤ 川ゾいの通学路を帰る。
⑥ ナミの選手ではかなわない。
⑦ いさかいにマきこまれる。
⑧ 歩くスガタは百合の花
1問2点　16

Goal　Start　よく出る　1回目　5　4

１回２ページ。たった10分で終わるから、忙しい人や漢字が苦手な人も解きやすい

たのしく進捗管理できる
おまけイラストつき

・模擬テスト７回分
・５級新出漢字表
・分野別よく出る問題リスト　など
　合格に役立つ項目もたっぷり収録！

漢字検定５級〔書き込み式〕問題集　目次

編集協力 …… 株式会社　エディット
　株式会社　スマートゲート
イラスト …… 馬場俊行
校　正 …… 株式会社　鷗来堂

※本書は2020年発刊の『漢検5級〔書き込み式〕問題集』を最新出題傾向に合わせてリニューアルした改訂版です。

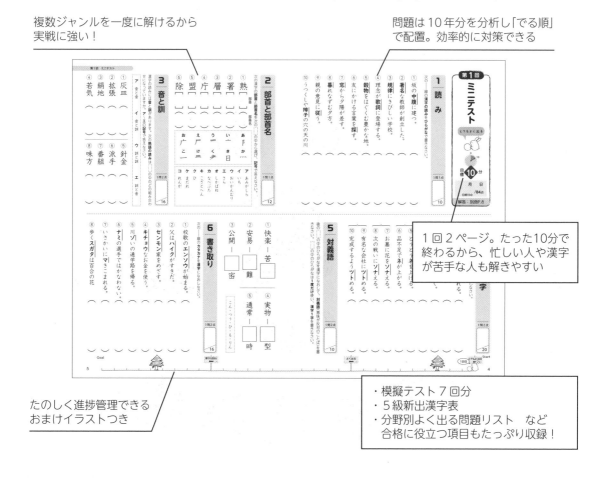

第１章

でる順で解ける ミニテスト

ミニテストの使い方

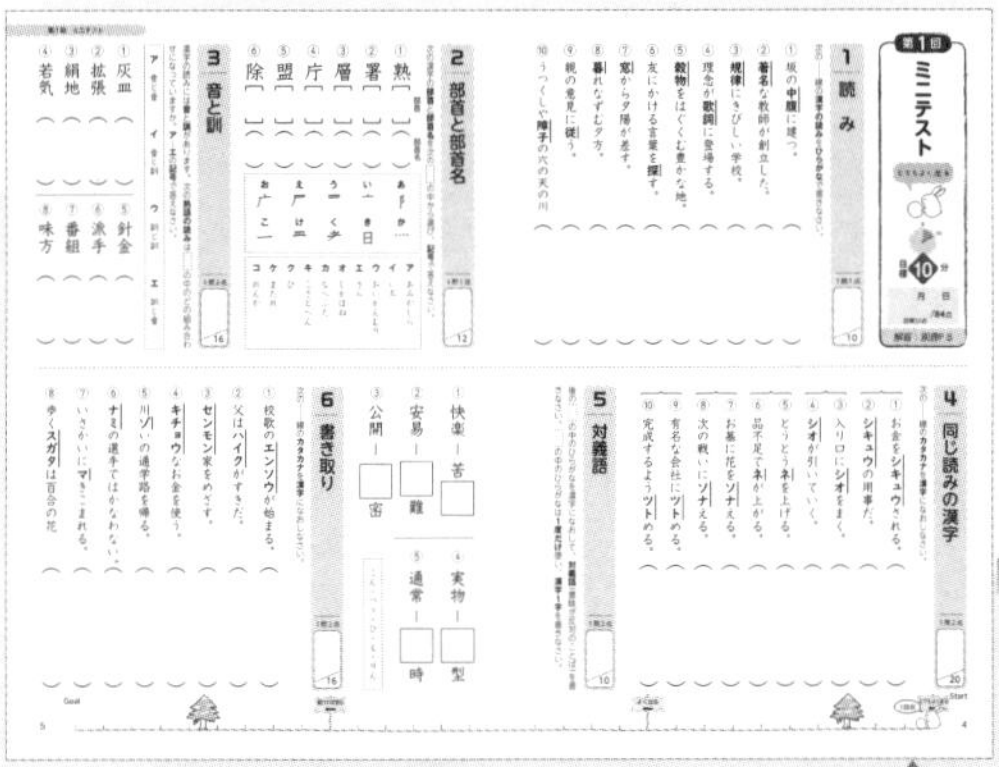

ミニテストを解いてみよう

出る順で解けるミニテスト。実際の試験を参考に、複数の分野を1回の試験で対策できるように構成しました。

各回の制限時間は10分。わからない問題は飛ばして、サクサク進めるのがポイント！

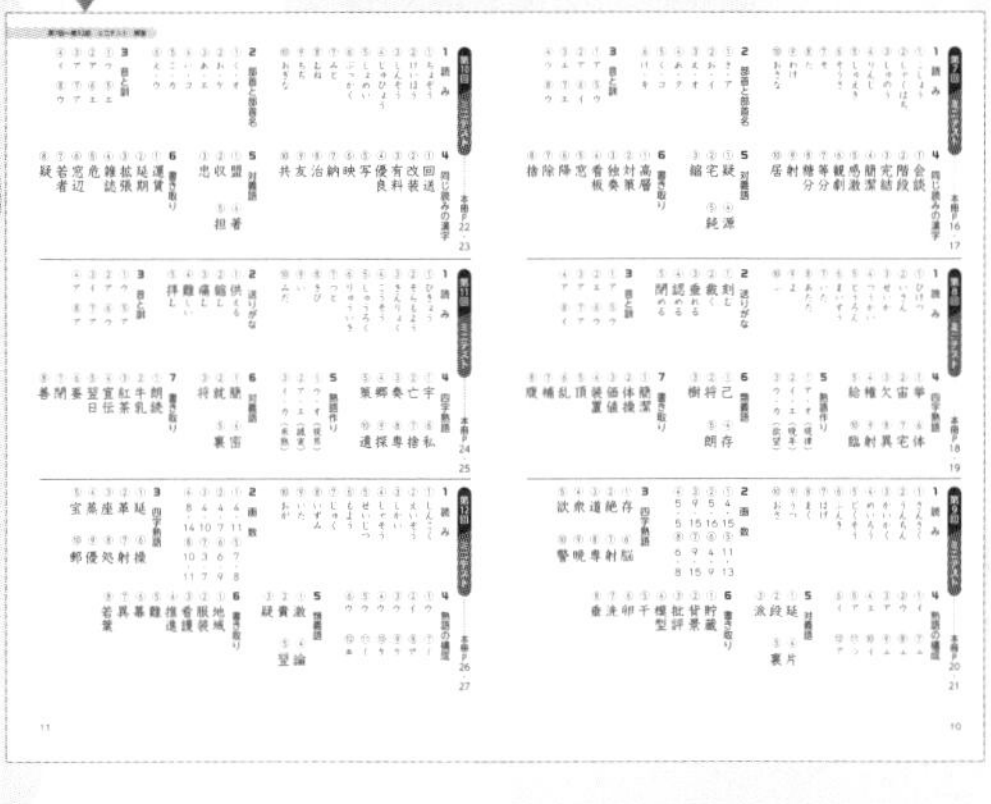

別冊解答で答え合わせ

まちがえた問題や飛ばした問題に印をつけて、しっかり復習しましょう。

あいまいな漢字は、新出漢字表（別冊 P.2）でチェック。採点表に点数を書き込めば、弱点分野が見えてきます。

第1回 ミニテスト

とてもよく出る

目標10分

月　日

/84点
目標59点

解答：別冊P.8

1 読み

次の——線の**漢字の読み**を**ひらがな**で書きなさい。

1問1点　/10

① 坂の**中腹**に建つ。（　）
② **著名**な教師が創立した。（　）
③ **規律**にきびしい学校。（　）
④ 理念が**歌詞**に登場する。（　）
⑤ **穀物**をはぐくむ豊かな地。（　）
⑥ 友にかける言葉を**探**す。（　）
⑦ **窓**から夕陽が差す。（　）
⑧ **暮**れなずむ夕方。（　）
⑨ 親の意見に**従**う。（　）
⑩ うつくしや**障子**の穴の天の川（　）

4 同じ読みの漢字

次の——線の**カタカナ**を**漢字**になおしなさい。

1問2点　/20

① お金を**シキュウ**される。（　）
② **シキュウ**の用事だ。（　）
③ 入り口に**シオ**をまく。（　）
④ **シオ**が引いていく。（　）
⑤ とうとう**ネ**を上げる。（　）
⑥ 品不足で**ネ**が上がる。（　）
⑦ お墓に花を**ソナ**える。（　）
⑧ 次の戦いに**ソナ**える。（　）
⑨ 有名な会社に**ツト**める。（　）
⑩ 完成するよう**ツト**める。（　）

5 対義語

後の[　]の中のひらがなを漢字になおして、**対義語**（意味が反対のことば）を書きなさい。[　]の中のひらがなは**1度だけ**使い、**漢字1字**を書きなさい。

1問2点　/10

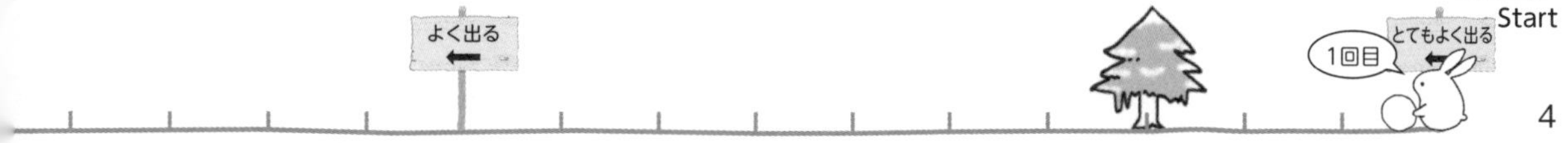

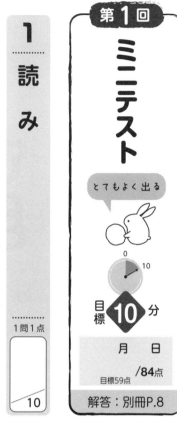

2 部首と部首名

次の漢字の**部首**と**部首名**を次の［　］の中から選び、**記号**で答えなさい。

1問1点　／12

部首　部首名

① 熟［　　］（　　）
② 署［　　］（　　）
③ 層［　　］（　　）
④ 庁［　　］（　　）
⑤ 盟［　　］（　　）
⑥ 除［　　］（　　）

あ 阝　か 灬
い 亠　き 日
う 罒　く 耂
え 尸　け 皿
お 广　こ 一

ア あみがしら　イ いち　ウ おいかんむり　エ さら　オ しかばね　カ なべぶた　キ こざとへん　ク ひ　ケ まだれ　コ れんが

3 音と訓

漢字の読みには**音**と**訓**があります。次の**熟語の読み**は［　］の中のどの組み合わせになっていますか。**ア〜エ**の**記号**で答えなさい。

1問2点　／16

ア 音と音　**イ** 音と訓　**ウ** 訓と訓　**エ** 訓と音

① 灰皿（　　）
② 拡張（　　）
③ 絹地（　　）
④ 若気（　　）
⑤ 針金（　　）
⑥ 派手（　　）
⑦ 番組（　　）
⑧ 味方（　　）

---

① 快楽―苦□
② 安易―□難
③ 公開―□密
④ 実物―□型
⑤ 通常―□時

こん・つう・ひ・も・りん

6 書き取り

次の――線の**カタカナ**を**漢字**になおしなさい。

1問2点　／16

① 校歌の**エンソウ**が始まる。（　　）
② 父は**ハイク**がすきだ。（　　）
③ **センモン**家をめざす。（　　）
④ **キチョウ**なお金を使う。（　　）
⑤ 川**ゾ**いの通学路を帰る。（　　）
⑥ **ナミ**の選手ではかなわない。（　　）
⑦ いさかいに**マ**きこまれる。（　　）
⑧ 歩く**スガタ**は百合の花（　　）

Goal

解ければ安心

第2回

ミニテスト

とてもよく出る

目標10分

月　日

/88点

目標62点

解答：別冊P.8

1 読み

1問1点　/10

次の――線の**漢字の読み**を**ひらがな**で書きなさい。

① 色づいた**街路樹**をながめる。（　　）
② レンガづくりの**庁舎**。（　　）
③ **諸国**の名物を味わう。（　　）
④ **貴重**な経験をする。（　　）
⑤ **資源**の少ない国。（　　）
⑥ **拡張**現実を体験する。（　　）
⑦ **裏庭**で犬がほえる。（　　）
⑧ 遠くには声が**届**かない。（　　）
⑨ 冷めた茶を飲み**干**す。（　　）
⑩ 山遊び**我**にしたがう春の雲（　　）

4 四字熟語

1問2点　/20

次の**カタカナ**を**漢字**になおし、**1字だけ**書きなさい。

① 永久**ジ**石（　　）
② **エン**岸漁業（　　）
③ 家庭**ホウ**問（　　）
④ 学習意**ヨク**（　　）
⑤ 月刊雑**シ**（　　）
⑥ 公**シュウ**道徳（　　）
⑦ 災害対**サク**（　　）
⑧ 実力発**キ**（　　）
⑨ 世**ロン**調査（　　）
⑩ 負**タン**軽減（　　）

5 熟語作り

1問2点　/6

後の□の中から漢字を2つ選んで、次の意味にあてはまる**熟語**を作りなさい。答えは**記号**で書きなさい。

① 生まれ育った場所。ふるさと。（　・　）
② 何かが起きても動じない心。（　・　）
③ 発言や物事を打ち消すこと。（　・　）

ア 否　イ 郷　ウ 定　エ 里　オ 度　カ 胸

6 類義語

1問2点　/10

後の□の中のひらがなを漢字になおして、**類義語**（意味がよく似たことば）を書きなさい。□の中のひらがなは**1度だけ**使い、**漢字1字**を書きなさい。

Start

とてもよく出る

よく出る

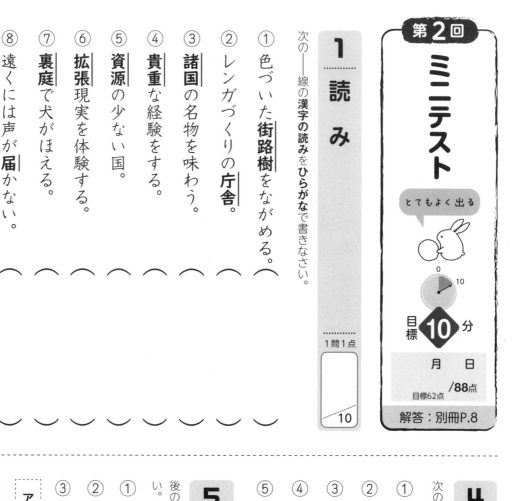

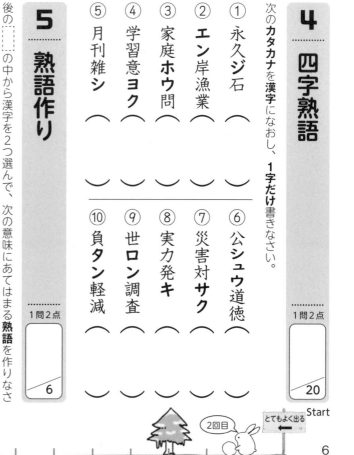

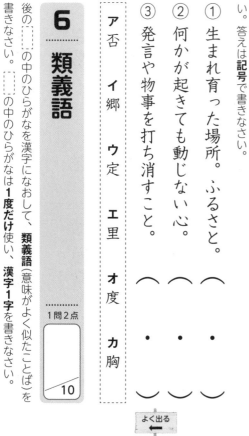

2 送りがな

1問2点　／10

次の——線の**カタカナ**の部分を**漢字1字**と**送りがな（ひらがな）**になおしなさい。

① **アブナイ**場所に入らない。（　　）
② **キビシイ**意見を言う。（　　）
③ 物を**ステル**勇気を持つ。（　　）
④ 布を青色に**ソメル**。（　　）
⑤ **オサナイ**弟の手を引く。（　　）

3 音と訓

1問2点　／16

漢字の読みには**音**と**訓**があります。次の**熟語の読み**は［　］の中のどの組み合わせになっていますか。**ア〜エ**の**記号**で答えなさい。

［**ア** 音と音　**イ** 音と訓　**ウ** 訓と訓　**エ** 訓と音］

① 湯気（　　）
② 温泉（　　）
③ 筋道（　　）
④ 絹製（　　）
⑤ 砂山（　　）
⑥ 試合（　　）
⑦ 針箱（　　）
⑧ 潮風（　　）

---

① 他界ー死□
② 方法ー手□
③ 広告ー□伝
④ 役者ー俳□
⑤ 進歩ー発□

［せん・だん・てん・ぼう・ゆう］

7 書き取り

1問2点　／16

次の——線の**カタカナ**を**漢字**になおしなさい。

① 祖父の**イサン**が底をつく。（　　）
② バスの**ザセキ**にもたれる。（　　）
③ 逆点に**コウフン**した。（　　）
④ **ショウライ**について迷う。（　　）
⑤ 外で用事を**ス**ませる。（　　）
⑥ まちがえた**ワケ**を話す。（　　）
⑦ しずむ夕日を**オガ**む。（　　）
⑧ 郷《ごう》に入っては郷《ごう》に**シタガ**え（　　）

解ければ安心

Goal

第3回 ミニテスト

とてもよく出る

目標 **10** 分

月　日

/96点

目標68点

解答：別冊P.8

1 読み

次の――線の**漢字の読み**を**ひらがな**で書きなさい。

1問1点　/10

① 皇族が**観衆**に手をふる。（　　）
② **地域**で一番の野球チームだ。（　　）
③ **武将**の戦略から学ぶ。（　　）
④ みんなで**俳句**をよむ。（　　）
⑤ **簡潔**に感想を言う。（　　）
⑥ すぐれた作品を**展示**する。（　　）
⑦ 心に**穴**があいたようだ。（　　）
⑧ 判断を**誤**ったとくやむ。（　　）
⑨ 仲間の**尊**さを思い知る。（　　）
⑩ 夏山の**洗**ったような日の出かな（　　）

4 熟語の構成

漢字を2字組み合わせた熟語では、2つの漢字の間に意味の上で、次のような関係があります。

- **ア**　反対や対《つい》になる意味の字を組み合わせたもの。（例…**強弱**）
- **イ**　同じような意味の字を組み合わせたもの。（例…**進行**）
- **ウ**　上の字が下の字の意味を説明（修飾《しょく》）しているもの。（例…**国旗**）
- **エ**　下の字から上の字へ返って読むと意味がよくわかるもの。（例…**消火**）

次の**熟語**は、右の**ア**～**エ**のどれにあたるか、**記号**で答えなさい。

1問2点　/24

① 映写（　　）
② 干満（　　）
③ 胸中（　　）
④ 勤務（　　）
⑤ 紅白（　　）
⑥ 困苦（　　）
⑦ 在宅（　　）
⑧ 取捨（　　）
⑨ 樹木（　　）
⑩ 縦横（　　）
⑪ 除去（　　）
⑫ 乗降（　　）

5 対義語

後の□の中のひらがなを漢字になおして、**対義語**（意味が反対のことば）を書きなさい。□の中のひらがなは**1度だけ**使い、**漢字1字**を書きなさい。

1問2点　/10

2　画数

次の漢字の**太い画**のところは**筆順の何画目**か、また**総画数は何画**か、**算用数字**（1、2、3…）で答えなさい。

1問1点　／16

何画目　総画数

① 灰［　］（　）
② 閣［　］（　）
③ 系［　］（　）
④ 皇［　］（　）
⑤ 蒸［　］（　）
⑥ 党［　］（　）
⑦ 陛［　］（　）
⑧ 郵［　］（　）

3　四字熟語

次の**カタカナ**を**漢字**になおし、**1字だけ**書きなさい。

1問2点　／20

① 応急**ショ**置（　）
② **カク**張工事（　）
③ 学級日**シ**（　）
④ **カブ**式会社（　）
⑤ 技術**カク**新（　）
⑥ 自**コ**負担（　）
⑦ **スイ**理小説（　）
⑧ **ゾウ**器移植（　）
⑨ 半信半**ギ**（　）
⑩ **ホ**足説明（　）

① 冷静―興□
② 整理―散□
③ 水平―□直
④ 悪意―□意
⑤ 往復―□道

かた・すい・ぜん・ふん・らん

6　書き取り

次の――線の**カタカナ**を**漢字**になおしなさい。

1問2点　／16

① 機械の**コショウ**を直す。（　）
② **トウロン**が交わされた。（　）
③ 一同が**シセイ**を正す。（　）
④ 公園の**テツボウ**で遊ぶ。（　）
⑤ 大**モ**りサービスを受ける。（　）
⑥ 日が**ク**れてきた。（　）
⑦ 父が**ハゲ**しくおこる。（　）
⑧ 悪事に手を**ソ**める（　）

Goal

第4回 ミニテスト

とてもよく出る

目標 10 分

月　日

/84点　目標59点

解答：別冊P.9

1 読み

次の——線の漢字の読みをひらがなで書きなさい。

1問1点　/10

① 満員の客席に**興奮**する。（　）
② チャンステーマを**演奏**する。（　）
③ **優勝**をめざし練習する。（　）
④ まず**憲法**の前文を読む。（　）
⑤ **宗教**的なしきたりを守る。（　）
⑥ **純白**のドレスを着る。（　）
⑦ 山の**頂**に登る。（　）
⑧ 海から**潮風**がふいてくる。（　）
⑨ 傷にほうたいを**巻**く。（　）
⑩ 朝焼けに**染**まるでもなし露《つゆ》の玉（　）

4 同じ読みの漢字

次の——線のカタカナを漢字になおしなさい。

1問2点　/20

① 父の**セイカ**をたずねる。（　）
② **セイカ**リレーを走る。（　）
③ 美術品を**テンジ**する。（　）
④ **テンジ**をさわって読む。（　）
⑤ 商品を**ホウソウ**する。（　）
⑥ テレビで**ホウソウ**される。（　）
⑦ 大変な用事が**ス**む。（　）
⑧ 広い部屋に**ス**む。（　）
⑨ **ハラ**をかかえて笑う。（　）
⑩ **ハラ**っぱで元気に遊ぶ。（　）

5 類義語

後の[　]の中のひらがなを漢字になおして、**類義語**（意味がよく似たことば）を書きなさい。[　]の中のひらがなは**1度だけ**使い、**漢字1字**を書きなさい。

1問2点　/10

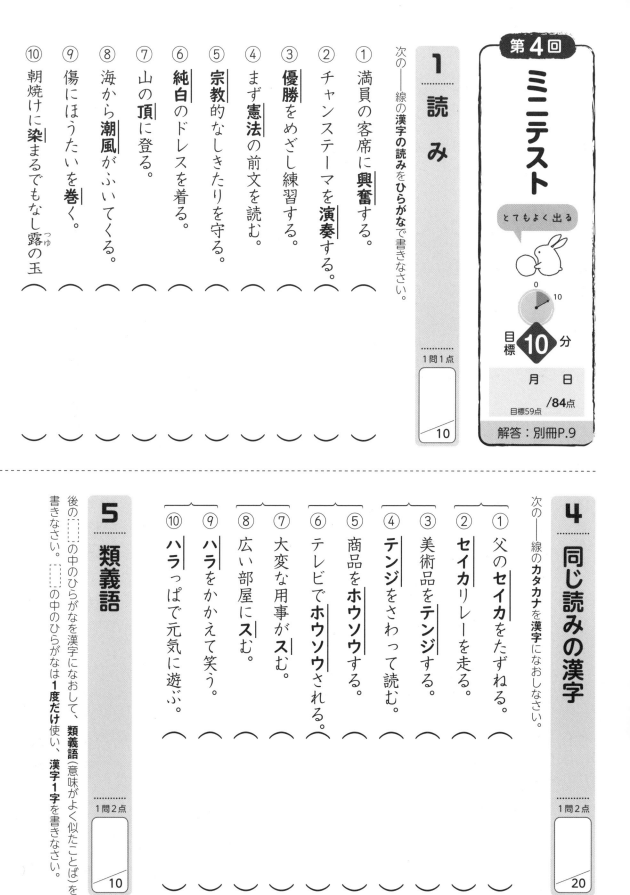

2 部首と部首名

1問1点　/12

次の漢字の**部首**と**部首名**を次の[　]の中から選び、**記号**で答えなさい。

	部首	部首名
① 閣	[　]	(　)
② 箇	[　]	(　)
③ 勤	[　]	(　)
④ 座	[　]	(　)
⑤ 陛	[　]	(　)
⑥ 誠	[　]	(　)

あ 日　**い** 广　**う** 門　**え** 阝　**お** 土　**か** ⺮　**き** 艹　**く** 比　**け** 力　**こ** 言

ア まだれ　**イ** くさかんむり　**ウ** たけかんむり　**エ** つち　**オ** ちから　**カ** ならびひ　**キ** ひ　**ク** もんがまえ　**ケ** ごんべん　**コ** こざとへん

3 音と訓

1問2点　/16

漢字の読みには**音**と**訓**があります。次の**熟語の読み**は[　]の中のどの組み合わせになっていますか。**ア**～**エ**の**記号**で答えなさい。

ア 音と音　**イ** 音と訓　**ウ** 訓と訓　**エ** 訓と音

① 口紅（　）
② 仕事（　）
③ 新顔（　）
④ 生傷（　）
⑤ 節穴（　）
⑥ 窓口（　）
⑦ 茶柱（　）
⑧ 道順（　）

① 始末―□理
② 直前―□前
③ 価格―□段
④ 地区―地□
⑤ 作者―□者

いき・しょ・すん・ちょ・ね

6 書き取り

1問2点　/16

次の――線の**カタカナ**を**漢字**になおしなさい。

① ユウビン局へ行く。（　）
② ウチュウの歴史を調べる。（　）
③ ケイサツにとどけ出る。（　）
④ シゲンを大切にする。（　）
⑤ オサナいころからの夢だ。（　）
⑥ キビしい練習にたえてきた。（　）
⑦ ウラニワにぬけ道を作る。（　）
⑧ コマったときの神だのみ（　）

Goal

解ければ安心

第5回
ミニテスト
とても よく出る

目標 10分

月　日

/88点
目標62点

解答：別冊P.9

1 読み
次の――線の**漢字の読み**を**ひらがな**で書きなさい。

1問1点　/10

① 点描《びょう》画を**所蔵**する。（　　）
② **鋼鉄**製の橋がかかる。（　　）
③ **郷里**をなつかしく思う。（　　）
④ 学校の**創立**十周年を祝う。（　　）
⑤ **晩秋**の名月をながめる。（　　）
⑥ **机**にかざった写真を見る。（　　）
⑦ 転んで**傷**を負う。（　　）
⑧ さらに料理を**盛**る。（　　）
⑨ 知人の家を**訪**ねる。（　　）
⑩ 春雨や**腹**をへらしに湯につかる（　　）

4 四字熟語
次の**カタカナ**を**漢字**になおし、**1字だけ**書きなさい。

1問2点　/20

① 一進一**タイ**（　　）
② 器械体**ソウ**（　　）
③ 高**ソウ**建築（　　）
④ 世界**イ**産（　　）
⑤ 政**トウ**政治（　　）
⑥ 反**シャ**神経（　　）
⑦ 平和**セン**言（　　）
⑧ **カタ**側通行（　　）
⑨ 無理**ナン**題（　　）
⑩ **リン**時列車（　　）

5 熟語作り
後の□の中から漢字を2つ選んで、次の意味にあてはまる**熟語**を作りなさい。答えは**記号**で書きなさい。

1問2点　/6

① 病人を手当てし、世話すること。（　・　）
② むだがなくはっきりしているさま。（　・　）
③ とてもいそぐこと。（　・　）

ア 至　**イ** 簡　**ウ** 看　**エ** 急　**オ** 護　**カ** 潔

6 対義語
後の□の中のひらがなを漢字になおして、**対義語**（意味が反対のことば）を書きなさい。□の中のひらがなは**1度だけ**使い、**漢字1字**を書きなさい。

1問2点　/10

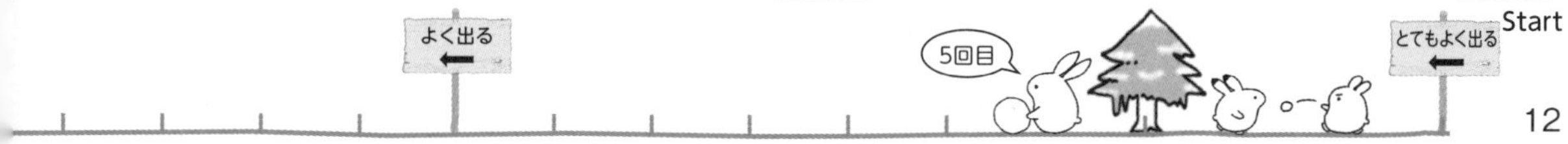

2 送りがな

1問2点　／10

次の——線の**カタカナ**の部分を**漢字1字**と**送りがな（ひらがな）**になおしなさい。

① 相手と**ハゲシク**争う。（　　）
② 案内に**シタガッ**て進む。（　　）
③ 器を**ナラベル**。（　　）
④ メンバーの弱点を**オギナウ**。（　　）
⑤ へやの中が**ミダレ**ている。（　　）

3 音と訓

1問2点　／16

漢字の読みには**音**と**訓**があります。次の**熟語の読み**は□の中のどの組み合わせになっていますか。**ア〜エ**の**記号**で答えなさい。

ア 音と音　**イ** 音と訓　**ウ** 訓と訓　**エ** 訓と音

① 格安（　　）
② 巻物（　　）
③ 残高（　　）
④ 若葉（　　）
⑤ 手順（　　）
⑥ 組曲（　　）
⑦ 台所（　　）
⑧ 裏地（　　）

---

① 寒冷 ― 温□
② 義務 ― □利
③ 横糸 ― □糸
④ 延長 ― 短□
⑤ 誕生 ― 死□

けん・しゅく・たて・だん・ぼう

7 書き取り

1問2点　／16

次の——線の**カタカナ**を**漢字**になおしなさい。

① **キケン**な場所をさける。（　　）
② 文化祭で**ゲキ**をする。（　　）
③ 個人**ユウショウ**を果たす。（　　）
④ 試合で力を**ハッキ**しよう。（　　）
⑤ **ワレ**関せずの態度だ。（　　）
⑥ その話は**ムネ**を打った。（　　）
⑦ 思い出を心に**キザ**む。（　　）
⑧ のど元過ぎれば熱さを**ワス**れる（　　）

Goal

解ければ安心

第6回 ミニテスト

とてもよく出る

目標 10分

月　日

/96点

目標68点

解答：別冊P.9

1 読み

1問1点　/10

次の――線の**漢字の読み**を**ひらがな**で書きなさい。

① おじが会社を**創設**する。（　　）
② **系統**立てて話す。（　　）
③ 売上の**推移**をグラフにする。（　　）
④ 新しい**内閣**が発足する。（　　）
⑤ 小説を**批評**する。（　　）
⑥ 深く心に**刻**む。（　　）
⑦ 勇気を**奮**って打ち明けた。（　　）
⑧ **並**たいていの力ではない。（　　）
⑨ 静かにドアを**閉**める。（　　）
⑩ ふとん着て寝たる**姿**や東山（　　）

4 熟語の構成

1問2点　/24

漢字を2字組み合わせた熟語では、2つの漢字の間に意味の上で、次のような関係があります。

ア 反対や対《つい》になる意味の字を組み合わせたもの。（例…**強弱**）
イ 同じような意味の字を組み合わせたもの。（例…**進行**）
ウ 上の字が下の字の意味を説明（修飾《しょく》）しているもの。（例…**国旗**）
エ 下の字から上の字へ返って読むと意味がよくわかるもの。（例…**消火**）

次の**熟語**は、右の**ア**～**エ**のどれにあたるか、**記号**で答えなさい。

① 異国（　）
② 延期（　）
③ 寒暖（　）
④ 看病（　）
⑤ 観劇（　）
⑥ 自己（　）
⑦ 収納（　）
⑧ 植樹（　）
⑨ 洗面（　）
⑩ 善悪（　）
⑪ 尊敬（　）
⑫ 築城（　）

5 類義語

1問2点　/10

後の[　]の中のひらがなを漢字になおして、**類義語**（意味がよく似たことば）を書きなさい。[　]の中のひらがなは**1度だけ**使い、**漢字1字**を書きなさい。

2 画数

次の漢字の**太い画**のところは**筆順の何画目**か、また**総画数は何画**か、**算用数字**（1、2、3…）で答えなさい。

1問1点　/16

何画目　総画数

① 我［　］（　）
② 裁［　］（　）
③ 純［　］（　）
④ 処［　］（　）
⑤ 脳［　］（　）
⑥ 俳［　］（　）
⑦ 班［　］（　）
⑧ 訳［　］（　）

3 四字熟語

次の**カタカナ**を**漢字**になおし、**1字だけ**書きなさい。

1問2点　/20

① 一心不**ラン**（　）
② 玉石**コン**交（　）
③ 自画自**サン**（　）
④ 心**キ**一転（　）
⑤ 針小**ボウ**大（　）
⑥ **タン**刀直入（　）
⑦ 複雑**コッ**折（　）
⑧ 明**ロウ**快活（　）
⑨ 油断大**テキ**（　）
⑩ 有名**ム**実（　）

---

① 家屋—住□
② 真心—□意
③ 給料—□金
④ 後方—□後
⑤ 役目—□役

せい・たく・ちん・はい・わり

6 書き取り

次の——線の**カタカナ**を**漢字**になおしなさい。

1問2点　/16

① 自作の服を**テンジ**する。（　）
② ファイルを**ホゾン**する。（　）
③ **セイザ**を観測する。（　）
④ 災害対策の**シキ**をとる。（　）
⑤ 母の実家から手紙が**トド**く。（　）
⑥ 相手の力を**ミト**める。（　）
⑦ ゆっくりと息を**ス**う。（　）
⑧ 類は友を**ヨ**ぶ。（　）

Goal

解ければ安心 ←

第7回

ミニテスト

とてもよく出る

目標 10 分

月　日

/84点　目標59点

解答：別冊P.10

1 読み

次の――線の**漢字の読み**を**ひらがな**で書きなさい。

1問1点　/10

① ブレーキが**故障**した。（　　）
② 古い**尺八**をふく。（　　）
③ 各国の**首脳**が話し合う。（　　）
④ **臨時**の協議が行われる。（　　）
⑤ **樹液**に虫が集まる。（　　）
⑥ リモコンで**操作**する。（　　）
⑦ 海岸に**沿**って歩く。（　　）
⑧ しょんぼりと頭を**垂**れる。（　　）
⑨ 遅れた**訳**を伝える。（　　）
⑩ **幼**子や目を皿にして梅の花（　　）

4 同じ読みの漢字

次の――線の**カタカナ**を**漢字**になおしなさい。

1問2点　/20

① 首脳が**カイダン**する。（　　）
② **カイダン**を上る。（　　）

③ 物語が**カンケツ**した。（　　）
④ 答えを**カンケツ**に述べる。（　　）

⑤ えいがに**カンゲキ**する。（　　）
⑥ 友人を**カンゲキ**にさそう。（　　）

⑦ ケーキを**トウブン**する。（　　）
⑧ 体が**トウブン**不足だ。（　　）

⑨ 確実に的を**イ**る。（　　）
⑩ ずっと校庭に**イ**る。（　　）

5 対義語

後の□の中のひらがなを漢字になおして、**対義語**（意味が反対のことば）を書きなさい。□の中のひらがなは**1度だけ**使い、**漢字1字**を書きなさい。

1問2点　/10

2　部首と部首名

1問1点　/12

次の漢字の**部首**と**部首名**を次の［　］の中から選び、**記号**で答えなさい。

（部首）（部首名）

① 我［　　］（　　）
② 敬［　　］（　　）
③ 冊［　　］（　　）
④ 創［　　］（　　）
⑤ 誕［　　］（　　）
⑥ 域［　　］（　　）

あ 刂　い 人　う 廴　え 冂　お 攵
か 一　き 戈　く 言　け 土　こ ⺮

ア ほこづくり　イ のぶん　ウ えんにょう　エ ひとやね　オ どうがまえ　カ たけかんむり　キ つちへん　ク りっとう　ケ いち　コ ごんべん

3　音と訓

1問2点　/16

漢字の読みには**音**と**訓**があります。次の**熟語の読み**は［　］の中のどの組み合わせになっていますか。**ア〜エの記号**で答えなさい。

ア 音と音　**イ** 音と訓　**ウ** 訓と訓　**エ** 訓と音

① 遺産（　　）
② 回覧（　　）
③ 係員（　　）
④ 穴場（　　）
⑤ 若者（　　）
⑥ 重箱（　　）
⑦ 手配（　　）
⑧ 裏山（　　）

---

① 応答―質［　］
② 外出―帰［　］
③ 拡大―［　］小
④ 河口―水［　］
⑤ 複雑―単［　］

ぎ・げん・しゅく・じゅん・たく

6　書き取り

1問2点　/16

次の――線の**カタカナ**を**漢字**になおしなさい。

① **コウソウ**ビルを見上げる。（　　）
② ウイルス**タイサク**が重要だ。（　　）
③ チェロを**ドクソウ**する。（　　）
④ 店の**カンバン**を下ろす。（　　）
⑤ 教室の**マド**が開く。（　　）
⑥ 勝負から**オ**りる。（　　）
⑦ ごみを取り**ノゾ**く。（　　）
⑧ **ス**てる神あれば拾う神あり（　　）

Goal

解ければ安心

第8回 ミニテスト

とてもよく出る

目標 10分

月　日

/88点

目標62点

解答：別冊P.10

1 読み

次の――線の**漢字の読み**を**ひらがな**で書きなさい。

1問1点　/10

① 考えた案が**否決**される。（　　）
② 世界**遺産**をたずねる。（　　）
③ **聖火**リレーに参加する。（　　）
④ とても**痛快**な話を聞く。（　　）
⑤ テーマにそって**討論**する。（　　）
⑥ お札の**枚数**を読み上げる。（　　）
⑦ 同じ答えに**至**る。（　　）
⑧ **暖**かい部屋で過ごす。（　　）
⑨ **呼**ばれたが無視した。（　　）
⑩ 限りなく**降**る雪何をもたらすや（　　）

4 四字熟語

次の**カタカナ**を**漢字**になおし、**1字だけ**書きなさい。

1問2点　/20

① 一**キョ**両得（　　）
② 宇**チュウ**旅行（　　）
③ 完全無**ケツ**（　　）
④ 国民主**ケン**（　　）
⑤ 自**キュウ**自足（　　）
⑥ 絶**タイ**絶命（　　）
⑦ **タク**地造成（　　）
⑧ 天変地**イ**（　　）
⑨ 予防注**シャ**（　　）
⑩ **リン**機応変（　　）

5 熟語作り

後の□の中から漢字を2つ選んで、次の意味にあてはまる**熟語**を作りなさい。答えは**記号**で書きなさい。

1問2点　/6

① 人のおこないの基準、決まり。（　・　）
② 一生の終わりごろ。（　・　）
③ 何かをほしいと思うこと。（　・　）

ア 規　**イ** 晩　**ウ** 欲　**エ** 年　**オ** 律　**カ** 望

6 類義語

後の□の中のひらがなを漢字になおして、**類義語**（意味がよく似たことば）を書きなさい。□の中のひらがなは**1度だけ**使い、**漢字1字**を書きなさい。

1問2点　/10

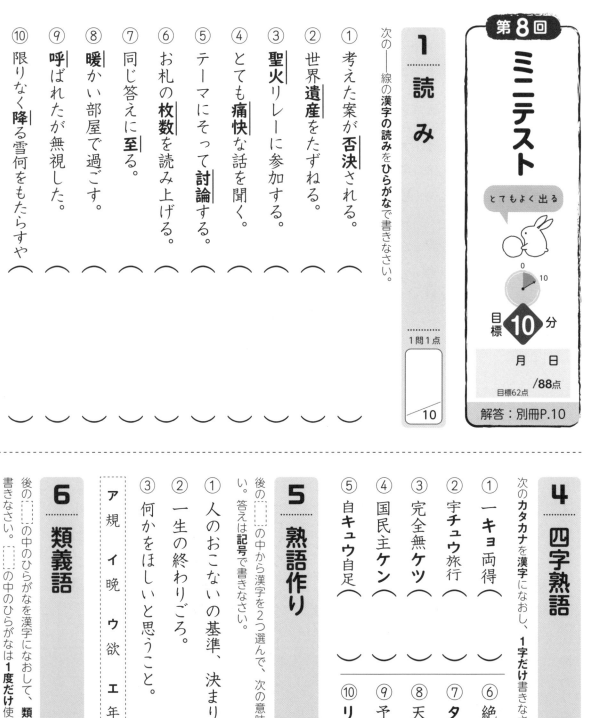

2　送りがな

1問2点　／10

次の——線の**カタカナ**の部分を**漢字1字**と**送りがな（ひらがな）**になおしなさい。

① ネギを細かく**キザム**。（　　）
② もめごとを**サバク**。（　　）
③ ポタポタ水が**タレル**。（　　）
④ 一人前として**ミトメル**。（　　）
⑤ そっとドアを**シメル**。（　　）

3　音と訓

1問2点　／16

漢字の読みには**音**と**訓**があります。次の**熟語の読み**は□の中のどの組み合わせになっていますか。**ア**～**エ**の**記号**で答えなさい。

ア　音と音　**イ**　音と訓　**ウ**　訓と訓　**エ**　訓と音

① 沿岸（　　）
② 係長（　　）
③ 系統（　　）
④ 磁石（　　）
⑤ 縦笛（　　）
⑥ 道筋（　　）
⑦ 批評（　　）
⑧ 役割（　　）

① 自分－自□
② 未来－□来
③ 大木－大□
④ 保管－保□
⑤ 快活－明□

こ・じゅ・しょう・ぞん・ろう

7　書き取り

1問2点　／16

次の——線の**カタカナ**を**漢字**になおしなさい。

① **カンケツ**な手紙を書く。（　　）
② ラジオ**タイソウ**をする。（　　）
③ 物の**カチ**がわかる。（　　）
④ 発電**ソウチ**を動かす。（　　）
⑤ この勝負は**イタダ**きだ。（　　）
⑥ 電車のダイヤが**ミダ**れる。（　　）
⑦ 味方の弱点を**オギナ**う。（　　）
⑧ **ハラ**八分に医者いらず（　　）

Goal

第9回 ミニテスト

とてもよく出る

目標 10 分

月　日

/96点　目標68点

解答：別冊P.10

1 読み

次の――線の**漢字の読み**を**ひらがな**で書きなさい。

1問1点　/10

① 歴史ある古都を**散策**する。（　　）
② 旅行の**運賃**を計算する。（　　）
③ 制度の**改革**に乗り出す。（　　）
④ **明朗**な回答を心がける。（　　）
⑤ コンサートで**独奏**する。（　　）
⑥ **奮起**して練習する。（　　）
⑦ **激**しい特訓を受ける。（　　）
⑧ 一つの時代が**幕**を下ろす。（　　）
⑨ 悲しそうな顔が目に**映**った。（　　）
⑩ 三日山もまず見**納**めの雀《すずめ》かな（　　）

4 熟語の構成

漢字を2字組み合わせた熟語では、2つの漢字の間に意味の上で、次のような関係があります。

1問2点　/24

ア　反対や対《つい》になる意味の字を組み合わせたもの。（例…**強弱**）
イ　同じような意味の字を組み合わせたもの。（例…**進行**）
ウ　上の字が下の字の意味を説明（修飾《しょく》）しているもの。（例…**国旗**）
エ　下の字から上の字へ返って読むと意味がよくわかるもの。（例…**消火**）

次の**熟語**は、右の**ア**～**エ**のどれにあたるか、**記号**で答えなさい。

① 価値（　　）
② 歌詞（　　）
③ 開閉（　　）
④ 帰宅（　　）
⑤ 去来（　　）
⑥ 郷里（　　）
⑦ 敬老（　　）
⑧ 降車（　　）
⑨ 就職（　　）
⑩ 破損（　　）
⑪ 宝石（　　）
⑫ 問答（　　）

5 対義語

後の［　］の中のひらがなを漢字になおして、**対義語**（意味が反対のことば）を書きなさい。［　］の中のひらがなは**1度だけ**使い、**漢字1字**を書きなさい。

1問2点　/10

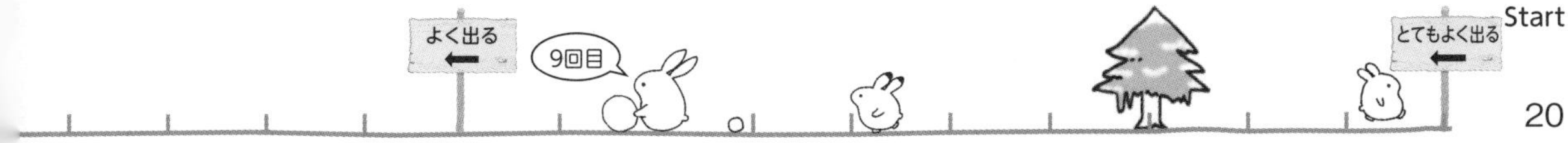

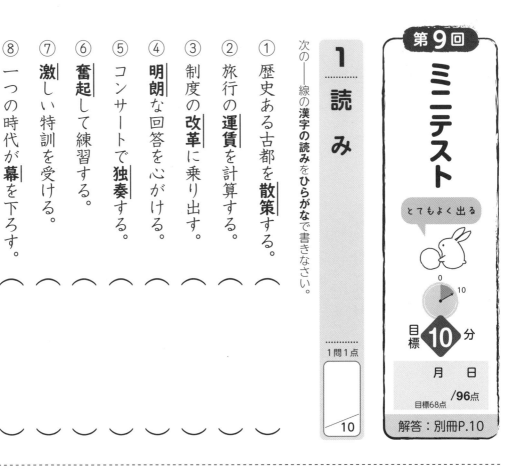

2 画数

次の漢字の**太い画**のところは**筆順の何画目**か、また**総画数は何画**か、**算用数字**（1、2、3…）で答えなさい。

1問1点　/16

	何画目	総画数
① 遺	［　］	（　）
② 憲	［　］	（　）
③ 権	［　］	（　）
④ 冊	［　］	（　）
⑤ 聖	［　］	（　）
⑥ 染	［　］	（　）
⑦ 誕	［　］	（　）
⑧ 宙	［　］	（　）

3 四字熟語

次の**カタカナ**を**漢字**になおし、**1字だけ**書きなさい。

1問2点　/20

① 永久保**ゾン**（　）
② 空前**ゼツ**後（　）
③ 言語**ドウ**断（　）
④ 公**シュウ**衛生（　）
⑤ 私利私**ヨク**（　）
⑥ 首**ノウ**会談（　）
⑦ 条件反**シャ**（　）
⑧ **セン**門用語（　）
⑨ 大器**バン**成（　）
⑩ 暴風**ケイ**報（　）

① 短縮―□長
② 目的―手□
③ 地味―□手
④ 両方―□方
⑤ 表側―□側

うら・えん・かた・だん・は

6 書き取り

次の――線の**カタカナ**を**漢字**になおしなさい。

1問2点　/16

① 倉庫に**チョゾウ**する。（　）
② 政治的な**ハイケイ**がある。（　）
③ 詩を**ヒヒョウ**する。（　）
④ 飛行機の**モケイ**を作る。（　）
⑤ シワをのばして服を**ホ**す。（　）
⑥ 母が**タマゴ**を焼く。（　）
⑦ ユニフォームを**アラ**う。（　）
⑧ 雨**ダ**れ石をうがつ（　）

Goal

解ければ安心

第10回

ミニテスト

とてもよく出る

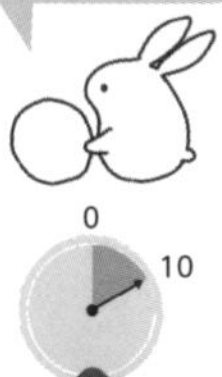

目標 **10** 分

月　日

目標59点　/84点

解答：別冊P.11

1 読み

次の——線の**漢字の読み**を**ひらがな**で書きなさい。

1問1点　/10

① 魚を塩づけにして**貯蔵**する。（　）
② 急に**警報**が鳴る。（　）
③ **心臓**の音が聞こえる。（　）
④ ゲレンデで**樹氷**を見る。（　）
⑤ 書類の最後に**署名**する。（　）
⑥ 好きな**仏閣**を見学する。（　）
⑦ 仲間と**認**めない。（　）
⑧ 相手の**胸**を借りる。（　）
⑨ 洗濯で服が**縮**む。（　）
⑩ 助っ人で戦力を**補**う。（　）

4 同じ読みの漢字

次の——線の**カタカナ**を**漢字**になおしなさい。

1問2点　/20

① バスを車庫に**カイソウ**する。（　）
② お店を新しく**カイソウ**する。（　）
③ 入るのは**ユウリョウ**だ。（　）
④ **ユウリョウ**な品質だ。（　）
⑤ 知人をカメラで**ウツ**す。（　）
⑥ 湖面に山が**ウツ**る。（　）
⑦ 税を国に**オサ**める。（　）
⑧ 王が国を**オサ**める。（　）
⑨ 久しぶりに**トモ**に会う。（　）
⑩ **トモ**に生きる社会だ。（　）

5 類義語

後の[　]の中のひらがなを漢字になおして、**類義語**（意味がよく似たことば）を書きなさい。[　]の中のひらがなは**1度だけ**使い、**漢字1字**を書きなさい。

1問2点　/10

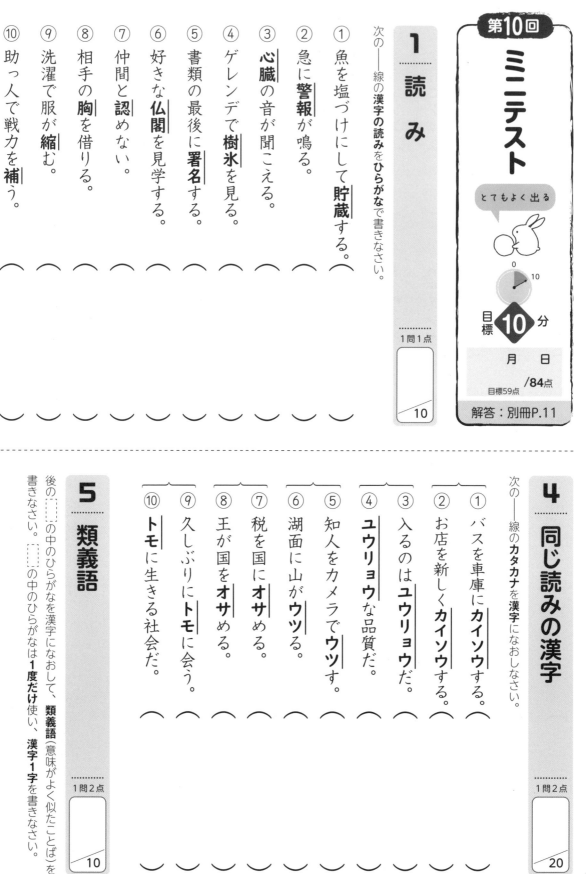

2 部首と部首名

次の漢字の**部首**と**部首名**を次の[　]の中から選び、**記号**で答えなさい。

1問1点　/12

	部首	部首名
① 刻	[　]	（　）
② 裁	[　]	（　）
③ 聖	[　]	（　）
④ 肺	[　]	（　）
⑤ 郵	[　]	（　）
⑥ 宙	[　]	（　）

あ 耳　い 月　う 亠　え 宀　お 衣
か 巾　き 王　く 刂　け 戈　こ 阝

ア なべぶた　イ はば　ウ うかんむり　エ みみ　オ りっとう　カ おおざと　キ おう　ク ほこづくり　ケ ころも　コ にくづき

3 音と訓

1問2点　/16

漢字の読みには**音**と**訓**があります。次の**熟語の読み**は[　]の中のどの組み合わせになっていますか。**ア～エ**の**記号**で答えなさい。

ア 音と音　**イ** 音と訓　**ウ** 訓と訓　**エ** 訓と音

① 巻紙（　）
② 誤答（　）
③ 蒸発（　）
④ 土手（　）
⑤ 布地（　）
⑥ 麦茶（　）
⑦ 明朗（　）
⑧ 裏庭（　）

---

① 加入－加[　]
② 所得－[　]入
③ 助言－[　]告
④ 有名－[　]名
⑤ 重荷－[　]負

しゅう・たん・ちゅう・ちょ・めい

6 書き取り

1問2点　/16

次の――線の**カタカナ**を**漢字**になおしなさい。

① 電車の**ウンチン**を出す。（　）
② 練習試合が**エンキ**になる。（　）
③ 機能を**カクチョウ**する。（　）
④ 本屋で**ザッシ**を買う。（　）
⑤ **アブ**ない遊びをしない。（　）
⑥ **マドベ**から外を見る。（　）
⑦ **ワカモノ**に話を聞く。（　）
⑧ 七度《たび》たずねて人を**ウタガ**え（　）

Goal

解ければ安心

第11回 ミニテスト

よく出る

目標 10分

月　日

/88点　目標62点

解答：別冊P.11

1 読み

次の――線の**漢字の読み**を**ひらがな**で書きなさい。

1問1点　/10

① 知られていない**秘境**を歩く。（　　）
② 不安になる**空模様**だ。（　　）
③ **筋力**トレーニングをする。（　　）
④ **高層**ビルを見上げる。（　　）
⑤ ドラマの**収録**を行う。（　　）
⑥ 利根川の**流域**は広い。（　　）
⑦ 会社に長年**勤**める。（　　）
⑧ **厳**しい目を向ける。（　　）
⑨ 矢で目標を**射**る。（　　）
⑩ 夕立やそもそも萩《はぎ》の**乱**れ口（　　）

4 四字熟語

次の**カタカナ**を**漢字**になおし、**1字だけ**書きなさい。

1問2点　/20

① **ウ**宙遊泳（　　）
② 危急存**ボウ**（　　）
③ 器楽合**ソウ**（　　）
④ **キョウ**土料理（　　）
⑤ 景気対**サク**（　　）
⑥ 公**シ**混同（　　）
⑦ 四**シャ**五入（　　）
⑧ **セン**門学校（　　）
⑨ 南極**タン**検（　　）
⑩ 文化**イ**産（　　）

5 熟語作り

後の[　]の中から漢字を2つ選んで、次の意味にあてはまる**熟語**を作りなさい。答えは**記号**で書きなさい。

1問2点　/6

① 目で見ることのできる部分。（　・　）
② 真心をもって接すること。（　・　）
③ まだ不十分であること。（　・　）

ア 誠　イ 未　ウ 視　エ 実　オ 界　カ 熟

6 対義語

後の[　]の中のひらがなを漢字になおして、**対義語**（意味が反対のことば）を書きなさい。[　]の中のひらがなは**1度だけ**使い、**漢字1字**を書きなさい。

1問2点　/10

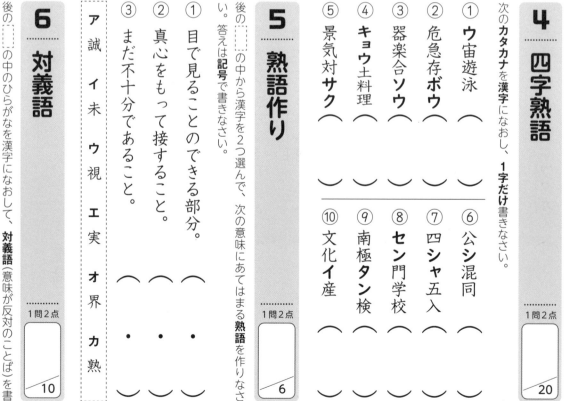

2　送りがな

1問2点　/10

次の──線の**カタカナ**の部分を**漢字１字と送りがな（ひらがな）**になおしなさい。

① 月にダンゴを**ソナエル**。（　　）
② やっとタイムが**チヂム**。（　　）
③ 胃がしくしくと**イタム**。（　　）
④ **ムズカシイ**問題に答える。（　　）
⑤ ようやく顔を**オガム**。（　　）

3　音と訓

1問2点　/16

漢字の読みには**音**と**訓**があります。次の**熟語の読み**は□の中のどの組み合わせになっていますか。**ア〜エ**の**記号**で答えなさい。

ア　音と音　**イ**　音と訓　**ウ**　訓と訓　**エ**　訓と音

① 割引（　　）
② 疑問（　　）
③ 軍手（　　）
④ 創造（　　）
⑤ 納入（　　）
⑥ 片道（　　）
⑦ 幼虫（　　）
⑧ 優勝（　　）

---

① 複雑－□単
② 退職－□職
③ 過去－□来
④ 散在－□集
⑤ 表門－□門

うら・かん・しゅう・しょう・みっ

7　書き取り

1問2点　/16

次の──線の**カタカナ**を**漢字**になおしなさい。

① 昔話を**ロウドク**する。（　　）
② **ギュウニュウ**を温める。（　　）
③ **コウチャ**を注ぐ。（　　）
④ 会社の**センデン**をする。（　　）
⑤ 出発は**ヨクジツ**だ。（　　）
⑥ 多くの**カイコ**を飼う。（　　）
⑦ 勢いよくドアを**シ**める。（　　）
⑧ **ゼン**は急げ（　　）

解ければ安心

Goal

第12回 ミニテスト

よく出る

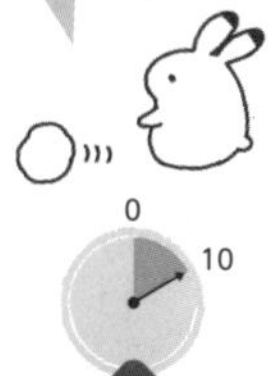

目標 10 分

月　　日

/96点

目標68点

解答：別冊P.11

1 読み

1問1点　/10

次の――線の**漢字の読み**を**ひらがな**で書きなさい。

① **深刻**な知らせを聞く。

② 美しい**映像**に息をのむ。

③ 今は**視界**が良好だ。

④ **車窓**から風景をながめる。

⑤ **誠実**な人がらをほめる。

⑥ タイルの**模様**がきれいだ。

⑦ **熟**した果実を口にする。

⑧ **泉**の水を口にふくむ。

⑨ 自分のしたことに心が**痛**む。

⑩ 初日の出を**拝**む。

4 熟語の構成

1問2点　/24

漢字を2字組み合わせた熟語では、2つの漢字の間に意味の上で、次のような関係があります。

ア　反対や対《つい》になる意味の字を組み合わせたもの。（例…**強弱**）

イ　同じような意味の字を組み合わせたもの。（例…**進行**）

ウ　上の字が下の字の意味を説明（修飾《しょく》）しているもの。（例…**国旗**）

エ　下の字から上の字へ返って読むと意味がよくわかるもの。（例…**消火**）

次の**熟語**は、右の**ア**～**エ**のどれにあたるか、**記号**で答えなさい。

① 遺品

② 温暖

③ 灰色

④ 絹糸

⑤ 古城

⑥ 紅茶

⑦ 死亡

⑧ 収支

⑨ 水源

⑩ 班長

⑪ 肥満

⑫ 閉店

5 類義語

1問2点　/10

後の□の中のひらがなを漢字になおして、**類義語**（意味がよく似たことば）を書きなさい。□の中のひらがなは**1度だけ**使い、**漢字1字**を書きなさい。

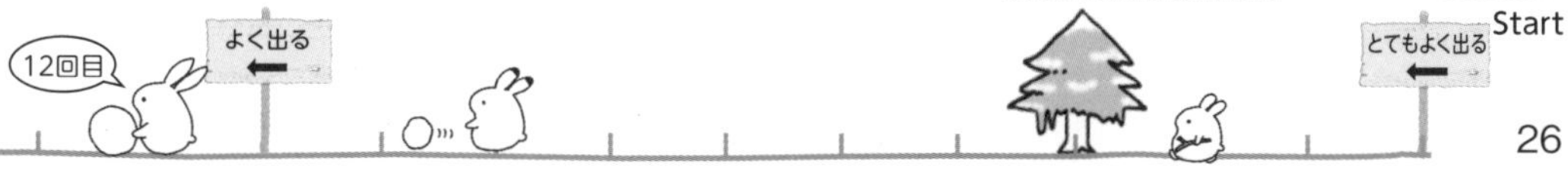

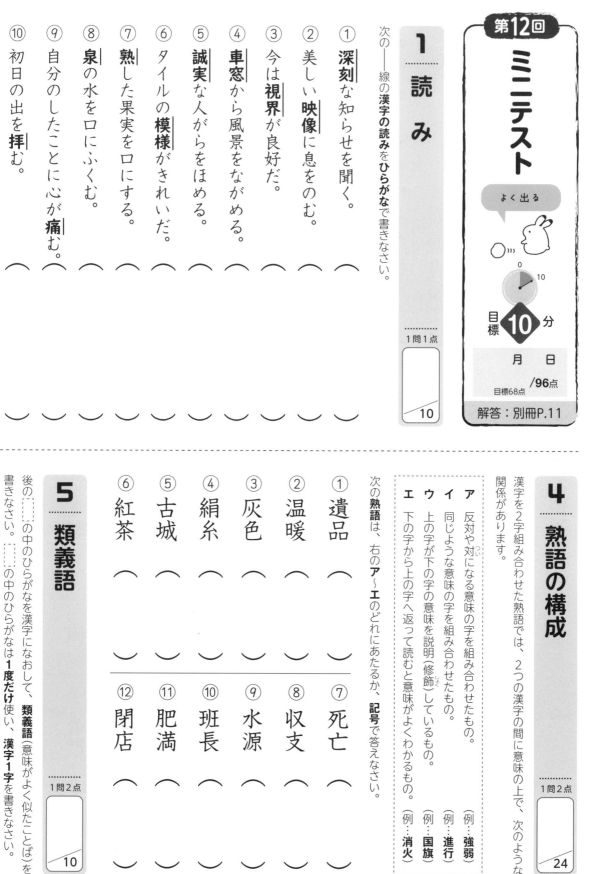

2 画数

1問1点　/16

次の漢字の**太い画**のところは**筆順の何画目**か、また**総画数は何画**か、**算用数字**（1、2、3…）で答えなさい。

何画目　総画数

① 郷［　　］（　　）
② 孝［　　］（　　）
③ 骨［　　］（　　）
④ 障［　　］（　　）
⑤ 乳［　　］（　　）
⑥ 派［　　］（　　）
⑦ 否［　　］（　　）
⑧ 訪［　　］（　　）

3 四字熟語

1問2点　/20

次の**カタカナ**を**漢字**になおし、**1字だけ**書きなさい。

① 雨天順**エン**（　　）
② 教育改**カク**（　　）
③ **ザ**席指定（　　）
④ **ジョウ**気機関（　　）
⑤ 人間国**ホウ**（　　）
⑥ 体**ソウ**競技（　　）
⑦ 直**シャ**日光（　　）
⑧ 問題**ショ**理（　　）
⑨ **ユウ**先順位（　　）
⑩ **ユウ**便配達（　　）

---

① 感動－感□
② 大切－□重
③ 質問－質□
④ 討議－討□
⑤ 明日－□日

き・ぎ・げき・よく・ろん

6 書き取り

1問2点　/16

次の――線の**カタカナ**を**漢字**になおしなさい。

① **チイキ**の交流を図る。（　　）
② 鏡を見て**フクソウ**を整える。（　　）
③ けが人を**カンゴ**する。（　　）
④ 研究を**スイシン**する。（　　）
⑤ 仲直りは**ムズカ**しい。（　　）
⑥ 舞台の**マク**が上がる。（　　）
⑦ いつもと**コト**なる態度だ。（　　）
⑧ **ワカバ**をスケッチする。（　　）

Goal

第13回 ミニテスト

よく出る

目標 10分

月　日

/84点 目標59点

解答：別冊P.12

1 読み

次の——線の漢字の読みをひらがなで書きなさい。

1問1点 /10

① 社長に**就任**する。（　　）

② 先生と**敬語**で話す。（　　）

③ ピアノとチェロで**合奏**する。（　　）

④ **綿密**な計画を立てる。（　　）

⑤ **幼虫**を飼育する。（　　）

⑥ **看護師**になるのが夢だ。（　　）

⑦ 出発の日程が**延**びた。（　　）

⑧ 笑顔が元気の**源**だ。（　　）

⑨ にわとりが**卵**を産む。（　　）

⑩ **若葉**して御目《おんめ》の雫《しずく》ぬぐはばや（　　）

4 同じ読みの漢字

次の——線のカタカナを漢字になおしなさい。

1問2点 /20

① 昔からの**カンシュウ**を守る。（　　）

② **カンシュウ**が息をのむ。（　　）

③ 柱の**キョウド**を上げる。（　　）

④ **キョウド**を愛する。（　　）

⑤ **キンシ**用メガネを買う。（　　）

⑥ いたずらを**キンシ**する。（　　）

⑦ 日本の**シキ**を楽しむ。（　　）

⑧ オーケストラを**シキ**する。（　　）

⑨ ある高校を**シボウ**する。（　　）

⑩ 病気で**シボウ**した。（　　）

5 対義語

後の[ ]の中のひらがなを漢字になおして、**対義語**(意味が反対のことば)を書きなさい。[ ]の中のひらがなは**1度だけ**使い、**漢字1字**を書きなさい。

1問2点 /10

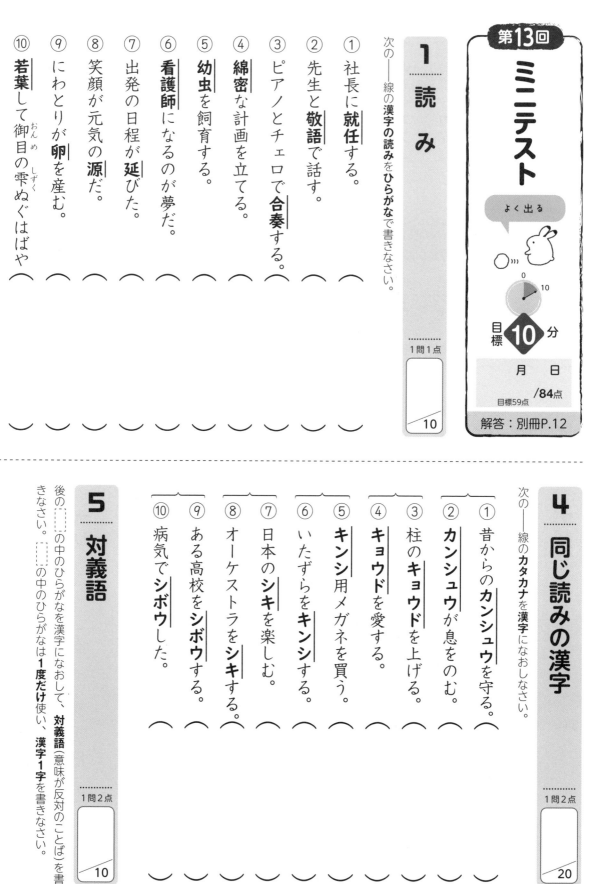

2 部首と部首名

次の漢字の**部首**と**部首名**を次の[　]の中から選び、**記号**で答えなさい。

1問1点　／12

	部首	部首名
① 筋	〔　〕	（　）
② 劇	〔　〕	（　）
③ 蒸	〔　〕	（　）
④ 賃	〔　〕	（　）
⑤ 届	〔　〕	（　）
⑥ 頂	〔　〕	（　）

あ 亻　い 虍　う 尸　え 艹　お 灬
か ⺮　き 力　く 刂　け 貝　こ 頁

ア かい　イ れんが　ウ たけかんむり　エ しかばね　オ とらがしら
カ ちから　キ くさかんむり　ク おおがい　ケ にんべん　コ りっとう

3 音と訓

漢字の読みには**音**と**訓**があります。次の**熟語の読み**は[　]の中のどの組み合わせになっていますか。**ア～エ**の**記号**で答えなさい。

1問2点　／16

ア 音と音　イ 音と訓　ウ 訓と訓　エ 訓と音

① 札束（　）
② 割合（　）
③ 憲法（　）
④ 古傷（　）
⑤ 政党（　）
⑥ 誠実（　）
⑦ 相棒（　）
⑧ 探検（　）

① 正常 — □常
② 満潮 — □潮
③ 他者 — 自□
④ 寒流 — □流
⑤ 借用 — 返□

い・かん・こ・さい・だん

6 書き取り

次の――線の**カタカナ**を**漢字**になおしなさい。

1問2点　／16

① **ケンリ**をつかみ取る。（　）
② **オンセン**地を旅する。（　）
③ **カイダン**を下りる。（　）
④ ゆっくり**コキュウ**する。（　）
⑤ テレビが**ウツ**らない。（　）
⑥ お**ソナ**え物をする。（　）
⑦ 打ったひざが**イタ**む。（　）
⑧ **ホネ**折り損のくたびれもうけ（　）

Goal　解ければ安心 ←

第14回

ミニテスト

よく出る

0 10

目標 10分

月　日

/88点

目標62点

解答：別冊P.12

1 読み

次の——線の**漢字の読み**を**ひらがな**で書きなさい。

1問1点　/10

① 立ち向かう**姿勢**を評価する。（　　）

② **半熟**たまごのオムライス。（　　）

③ おとぎ話を**朗読**する。（　　）

④ 温かい**紅茶**を飲む。（　　）

⑤ 遠くに**遊覧船**が見える。（　　）

⑥ 海の**潮**が満ちる。（　　）

⑦ あの言葉が**忘**れられない。（　　）

⑧ 大きく息を**吸**う。（　　）

⑨ お**供**に連れていく。（　　）

⑩ **城**の庭に梅がさく。（　　）

4 四字熟語

次の**カタカナ**を**漢字**になおし、**1字だけ**書きなさい。

1問2点　/20

① 基本方**シン**（　　）

② **コク**物倉庫（　　）

③ 質**ギ**応答（　　）

④ 信号無**シ**（　　）

⑤ 人口**ミツ**度（　　）

⑥ 水玉**モ**様（　　）

⑦ 速達**ユウ**便（　　）

⑧ 大同小**イ**（　　）

⑨ 単**ジュン**明快（　　）

⑩ 独立**セン**言（　　）

5 熟語作り

後の□の中から漢字を2つ選んで、次の意味にあてはまる**熟語**を作りなさい。答えは**記号**で書きなさい。

1問2点　/6

① 仕事につくこと。（　・　）

② 液体が気化すること。（　・　）

③ 同じ学校・先生に学んだこと。（　・　）

ア 蒸　**イ** 就　**ウ** 同　**エ** 窓　**オ** 発　**カ** 職

6 類義語

後の□の中のひらがなを漢字になおして、**類義語**（意味がよく似たことば）を書きなさい。□の中のひらがなは**1度だけ**使い、**漢字1字**を書きなさい。

1問2点　/10

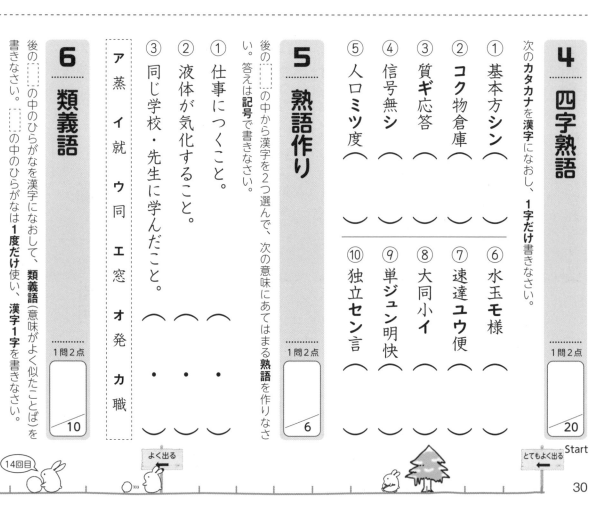

14回目

よく出る

Start

とてもよく出る

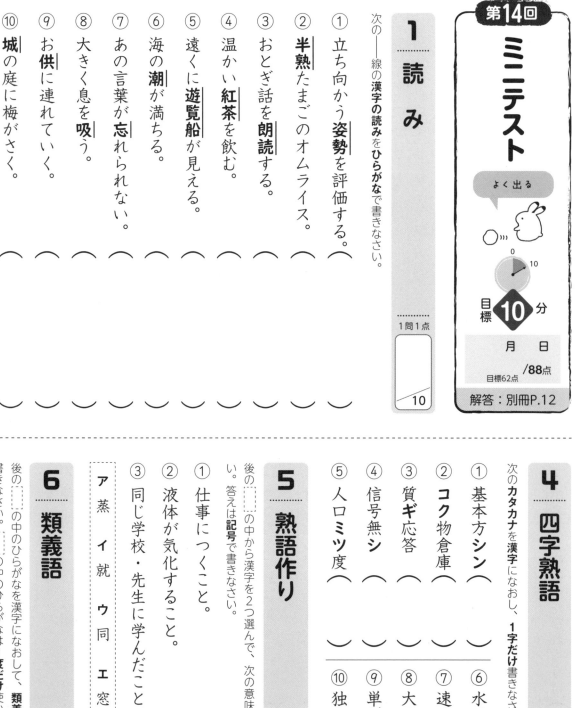

2 送りがな

1問2点　/10

次の――線の**カタカナ**の部分を**漢字1字と送りがな(ひらがな)**になおしなさい。

① スイカを二つに**ワル**。（　　）
② **ウヤマウ**気持ちをもつ。（　　）
③ 話を聞かなくて**コマル**。（　　）
④ 正しく税金を**オサメル**。（　　）
⑤ 今日も日が**クレル**。（　　）

3 音と訓

1問2点　/16

漢字の読みには**音**と**訓**があります。次の**熟語の読み**は□の中のどの組み合わせになっていますか。**ア～エ**の**記号**で答えなさい。

ア　音と音　**イ**　音と訓　**ウ**　訓と訓　**エ**　訓と音

① 夕刊（　　）
② 牛乳（　　）
③ 胸囲（　　）
④ 筋金（　　）
⑤ 裁判（　　）
⑥ 新型（　　）
⑦ 星座（　　）
⑧ 返済（　　）

---

① 改良－改□
② 開演－開□
③ 討議－議□
④ 処理－□末
⑤ 発行－出□

かく・し・ぱん・まく・ろん

7 書き取り

1問2点　/16

次の――線の**カタカナ**を**漢字**になおしなさい。

① **マイバン**練習する。（　　）
② 期間を**エンチョウ**する。（　　）
③ 母の**キョウリ**に帰る予定だ。（　　）
④ 団体に**カメイ**する。（　　）
⑤ **キヌイト**で布を織る。（　　）
⑥ かれの心を**イ**とめる。（　　）
⑦ きつい言葉で**キズ**つけた。（　　）
⑧ 犬も歩けば**ボウ**に当たる（　　）

Goal

解ければ安心

第15回

ミニテスト

よく出る

目標 10 分

月　日

/96点

目標68点

解答：別冊P.12

1 読み

次の――線の**漢字の読み**を**ひらがな**で書きなさい。

① もよおしの**担当**を決める。（　　）
② 試合で**存分**に力を出そう。（　　）
③ 力を**発揮**できなかった。（　　）
④ 次の**対策**を考える。（　　）
⑤ **鉄棒**にぶら下がる。（　　）
⑥ 用事を**済**ませる。（　　）
⑦ **絹**でできたドレスを着る。（　　）
⑧ **骨**の折れる仕事だ。（　　）
⑨ がまん強い母を**敬**う。（　　）
⑩ 首あげて人なつかしの**蚕**かな（　　）

1問1点　/10

4 熟語の構成

漢字を2字組み合わせた熟語では、2つの漢字の間に意味の上で、次のような関係があります。

ア　反対や対《つい》になる意味の字を組み合わせたもの。（例…**強弱**）
イ　同じような意味の字を組み合わせたもの。（例…**進行**）
ウ　上の字が下の字の意味を説明（修飾《しょく》）しているもの。（例…**国旗**）
エ　下の字から上の字へ返って読むと意味がよくわかるもの。（例…**消火**）

次の**熟語**は、右の**ア**～**エ**のどれにあたるか、**記号**で答えなさい。

① 牛乳（　　）
② 公私（　　）
③ 視点（　　）
④ 若者（　　）
⑤ 順延（　　）
⑥ 除草（　　）
⑦ 食欲（　　）
⑧ 洗顔（　　）
⑨ 善良（　　）
⑩ 潮風（　　）
⑪ 悲劇（　　）
⑫ 付着（　　）

1問2点　/24

5 対義語

後の［　］の中のひらがなを漢字になおして、**対義語**（意味が反対のことば）を書きなさい。［　］の中のひらがなは**1度だけ**使い、**漢字1字**を書きなさい。

1問2点　/10

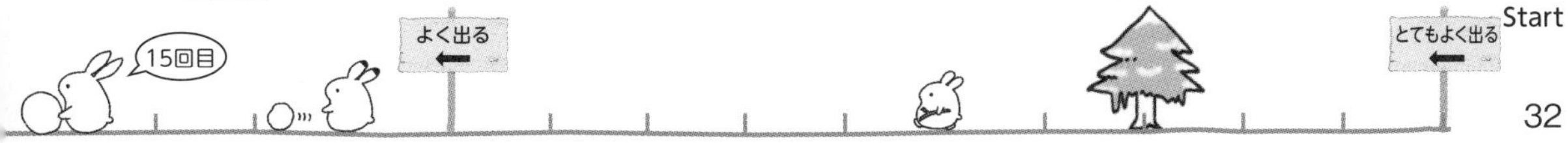

2 画数

1問1点　/16

次の漢字の**太い画**のところは**筆順の何画目**か、また**総画数は何画**か、**算用数字**（1、2、3…）で答えなさい。

	漢字	何画目	総画数
①	貴	［　］	（　）
②	呼	［　］	（　）
③	誤	［　］	（　）
④	后	［　］	（　）
⑤	射	［　］	（　）
⑥	推	［　］	（　）
⑦	批	［　］	（　）
⑧	臨	［　］	（　）

3 四字熟語

1問2点　/20

次の**カタカナ**を**漢字**になおし、**1字だけ**書きなさい。

① 安全**ソウ**置（　）
② **イ**口同音（　）
③ 価**チ**判断（　）
④ **キョウ**土芸能（　）
⑤ 賛**ピ**両論（　）
⑥ 自**コ**満足（　）
⑦ 首**ノウ**会議（　）
⑧ 政治改**カク**（　）
⑨ **ソウ**立記念（　）
⑩ **ヒ**密文書（　）

① 発散－□収
② 横長－□長
③ 辞任－□任
④ 正面－□面
⑤ 成熟－□熟

きゅう・しゅう・たて・はい・み

6 書き取り

1問2点　/16

次の――線の**カタカナ**を**漢字**になおしなさい。

① あの時の**モヨウ**を話す。（　）
② 指示に**チュウジツ**に働く。（　）
③ 書類の**マイスウ**が多い。（　）
④ **タンジュン**な仕組みだ。（　）
⑤ **チヂ**んでいた体をのばす。（　）
⑥ **ワリ**に合わない仕事だ。（　）
⑦ 足の**スジ**がいたむ。（　）
⑧ **ハイイロ**の空が広がる。（　）

Goal

第16回 ミニテスト

よく出る

0 10

目標 10 分

月 日

/84点

目標59点

解答：別冊P.13

1 読み

次の——線の**漢字の読み**を**ひらがな**で書きなさい。

1問1点 /10

① **宇宙**でたった一人の存在だ。（　　）
② **通訳**になるために勉強する。（　　）
③ 発言する**権利**をもらう。（　　）
④ **公衆**の面前では泣かない。（　　）
⑤ 野球部の**主将**になった。（　　）
⑥ **純真**な心をもっている。（　　）
⑦ チーム全員を**点呼**する。（　　）
⑧ 日本各地を**歴訪**する。（　　）
⑨ 気まずさは取り**除**けない。（　　）
⑩ 会社の**株**を買う。（　　）

4 同じ読みの漢字

次の——線の**カタカナ**を**漢字**になおしなさい。

1問2点 /20

① パンの**ゲンリョウ**は小麦だ。（　　）
② 選手が**ゲンリョウ**する。（　　）
③ イベントの**シカイ**をする。（　　）
④ 夜は**シカイ**がわるい。（　　）
⑤ 思わぬ**ジコ**にあう。（　　）
⑥ **ジコ**責任で利用する。（　　）
⑦ あつまる**ジコク**を伝える。（　　）
⑧ **ジコク**の文化を伝える。（　　）
⑨ 毎日の**シュウカン**だ。（　　）
⑩ **シュウカン**誌を読む。（　　）

5 類義語

後の［　］の中のひらがなを漢字になおして、**類義語**（意味がよく似たことば）を書きなさい。［　］の中のひらがなは**1度だけ**使い、**漢字1字**を書きなさい。

1問2点 /10

Start

とてもよく出る

よく出る

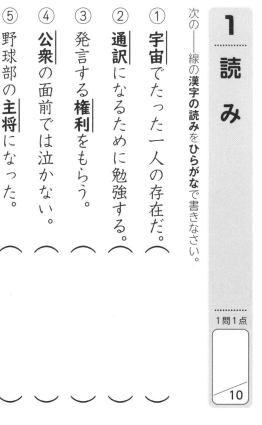

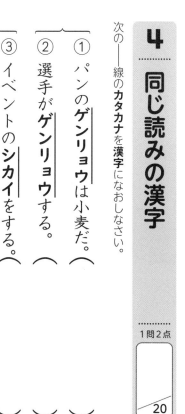

2 部首と部首名

1問1点　/12

次の漢字の**部首**と**部首名**を次の［　］の中から選び、**記号**で答えなさい。

（部首）（部首名）

① 憲［　］（　）
② 困［　］（　）
③ 泉［　］（　）
④ 蔵［　］（　）
⑤ 痛［　］（　）
⑥ 認［　］（　）

あ 臣　い 水　う 宀　え 白　お 疒
か 言　き 艹　く 木　け 心　こ 口

ア き　イ くにがまえ　ウ みず　エ やまいだれ　オ しん　カ うかんむり　キ しろ　ク こころ　ケ ごんべん　コ くさかんむり

3 音と訓

1問2点　/16

漢字の読みには**音**と**訓**があります。次の**熟語の読み**は［　］の中のどの組み合わせになっていますか。**ア**～**エ**の**記号**で答えなさい。

ア 音と音　**イ** 音と訓　**ウ** 訓と訓　**エ** 訓と音

① 映写（　）
② 延長（　）
③ 起源（　）
④ 旧型（　）
⑤ 手帳（　）
⑥ 蒸気（　）
⑦ 尊重（　）
⑧ 宝庫（　）

---

① 反対―□議
② 改良―改□
③ 設立―□立
④ 手段―方□
⑤ 分野―領□

い・いき・さく・ぜん・そう

6 書き取り

1問2点　/16

次の――線の**カタカナ**を**漢字**になおしなさい。

① **キンニク**をきたえる。（　）
② 卵焼きに**サトウ**を入れる。（　）
③ 本を三**サツ**借りる。（　）
④ チョコを**ホウソウ**する。（　）
⑤ すごい人だと**ウヤマ**う。（　）
⑥ **ワカ**いのにできた人だ。（　）
⑦ **タテ**の線を引く。（　）
⑧ **イタ**れり尽くせり（　）

第17回 ミニテスト

よく出る

目標 10 分

月　日

/88点

目標62点

解答：別冊P.13

1 読み

1問1点　/10

次の——線の**漢字の読み**を**ひらがな**で書きなさい。

① この本は知識の**宝庫**だ。（　　）
② 大会が**延期**になった。（　　）
③ 息子が**誕生**する。（　　）
④ すぐに**帰宅**する。（　　）
⑤ **乳歯**が生え変わる。（　　）
⑥ **毎晩**、本を読む。（　　）
⑦ 腹を**割**って話そう。（　　）
⑧ **困**ったことを言う人だ。（　　）
⑨ **川沿**いをゆっくり歩く。（　　）
⑩ **穴場**のスポットを見つける。（　　）

4 四字熟語

1問2点　/20

次の**カタカナ**を**漢字**になおし、**1字だけ**書きなさい。

① **リン**時休業（　　）
② **ウ**宙飛行（　　）
③ 栄養**ホ**給（　　）
④ **キン**務時間（　　）
⑤ 時間**ゲン**守（　　）
⑥ 社会保**ショウ**（　　）
⑦ **ショ**名運動（　　）
⑧ 地**イキ**社会（　　）
⑨ 天然資**ゲン**（　　）
⑩ 天地**ソウ**造（　　）

5 熟語作り

1問2点　/6

後の［　］の中から漢字を2つ選んで、次の意味にあてはまる**熟語**を作りなさい。答えは**記号**で書きなさい。

① 気をつけるように伝えること。（　・　）
② 普《ふ》通の認識をこえたふしぎなこと。（　・　）
③ 何かが起こるほんの少し前。（　・　）

ア 神　イ 警　ウ 寸　エ 前　オ 告　カ 秘

6 対義語

1問2点　/10

後の［　］の中のひらがなを漢字になおして、**対義語**（意味が反対のことば）を書きなさい。［　］の中のひらがなは**1度だけ**使い、**漢字1字**を書きなさい。

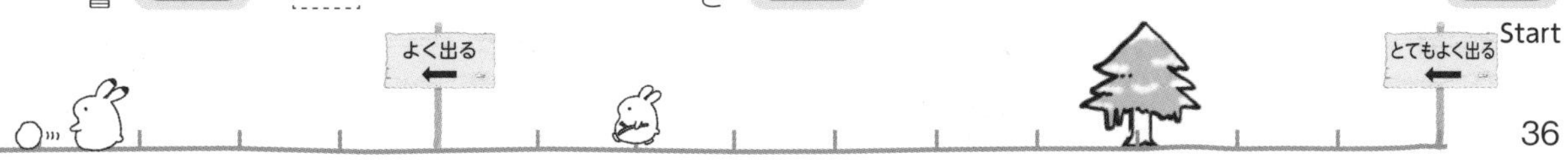

2 送りがな

1問2点　/10

次の——線の**カタカナ**の部分を**漢字1字と送りがな（ひらがな）**になおしなさい。

① **コトナル**考えを述べる。（　　）
② **ウタガイ**の目を持つ。（　　）
③ **スン**だ話はもうよそう。（　　）
④ **イタッ**て当たり前の話だ。（　　）
⑤ 庭から雑草を**ノゾク**。（　　）

3 音と訓

1問2点　/16

漢字の読みには**音**と**訓**があります。次の**熟語の読み**は□の中のどの組み合わせになっていますか。**ア**〜**エ**の**記号**で答えなさい。

ア 音と音　**イ** 音と訓　**ウ** 訓と訓　**エ** 訓と音

① 首筋（　　）
② 演奏（　　）
③ 散乱（　　）
④ 弱気（　　）
⑤ 推理（　　）
⑥ 誠意（　　）
⑦ 番付（　　）
⑧ 裏側（　　）

---

① 保守 — □新
② 横断 — □断
③ 死亡 — 生□
④ 読者 — □者
⑤ 尊重 — 無□

かく・し・じゅう・ぞん・ちょ

7 書き取り

1問2点　/16

次の——線の**カタカナ**を**漢字**になおしなさい。

① いい**ギロン**だった。（　　）
② かれの**ズノウ**は特別だ。（　　）
③ **ナイカク**が発表した。（　　）
④ おうし**ザ**のすばるが光る。（　　）
⑤ 牛乳を**レイゾウコ**に入れる。（　　）
⑥ 動物が**イズミ**に集まる。（　　）
⑦ 家電の**ネダン**を調べる。（　　）
⑧ **カブ**を守りて兎《うさぎ》を待つ（　　）

第18回 ミニテスト

よく出る

目標 10分

月　日

/96点　目標68点

解答：別冊P.13

1 読み

次の――線の**漢字の読み**を**ひらがな**で書きなさい。

1問1点　/10

① 練習する**意欲**を高める。（　　）
② **地層**を研究する。（　　）
③ **法律**を守って生活する。（　　）
④ **呼吸**を整える。（　　）
⑤ 計画を**推進**する。（　　）
⑥ もうすぐ父の**誕生日**だ。（　　）
⑦ **神秘的**な景色だ。（　　）
⑧ **縦書**きの本を読む。（　　）
⑨ 思いを胸に**収**める。（　　）
⑩ 月を見る**背中**に吹くや秋の風（　　）

4 熟語の構成

漢字を2字組み合わせた熟語では、2つの漢字の間に意味の上で、次のような関係があります。

1問2点　/24

ア 反対や対《つい》になる意味の字を組み合わせたもの。（例…**強弱**）
イ 同じような意味の字を組み合わせたもの。（例…**進行**）
ウ 上の字が下の字の意味を説明（修飾《しょく》）しているもの。（例…**国旗**）
エ 下の字から上の字へ返って読むと意味がよくわかるもの。（例…**消火**）

次の**熟語**は、右の**ア**～**エ**のどれにあたるか、**記号**で答えなさい。

① 短針（　　）
② 永久（　　）
③ 可否（　　）
④ 家賃（　　）
⑤ 帰郷（　　）
⑥ 敬意（　　）
⑦ 軽傷（　　）
⑧ 厳禁（　　）
⑨ 朝晩（　　）
⑩ 当落（　　）
⑪ 乳歯（　　）
⑫ 半熟（　　）

5 類義語

後の[　]の中のひらがなを漢字になおして、**類義語**（意味がよく似たことば）を書きなさい。[　]の中のひらがなは**1度だけ**使い、**漢字1字**を書きなさい。

1問2点　/10

Start　とてもよく出る　よく出る

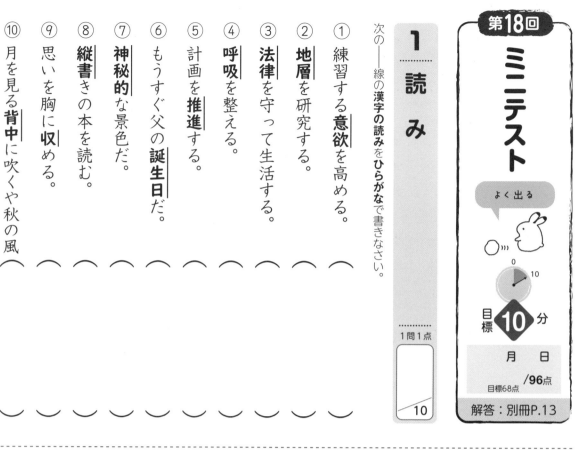

2 画数

次の漢字の**太い画**のところは**筆順の何画目**か、また**総画数は何画**か、**算用数字**（1、2、3…）で答えなさい。

1問1点　／16

	漢字	何画目	総画数
①	革	［　　］	（　　）
②	詞	［　　］	（　　）
③	若	［　　］	（　　）
④	衆	［　　］	（　　）
⑤	除	［　　］	（　　）
⑥	垂	［　　］	（　　）
⑦	片	［　　］	（　　）
⑧	覧	［　　］	（　　）

3 四字熟語

次の**カタカナ**を**漢字**になおし、**1字だけ**書きなさい。

1問2点　／20

① 安全**セン**言（　　）
② 温**ダン**前線（　　）
③ 議**ロン**百出（　　）
④ 国際親**ゼン**（　　）
⑤ 集合住**タク**（　　）
⑥ 書留**ユウ**便（　　）
⑦ 精**ミツ**機械（　　）
⑧ 通学区**イキ**（　　）
⑨ 鉄道**モ**型（　　）
⑩ **ユウ**先座席（　　）

① 容易－□単
② 非難－□判
③ 次週－□週
④ 着任－□任
⑤ 設立－□設

かん・しゅう・そう・ひ・よく

6 書き取り

次の――線の**カタカナ**を**漢字**になおしなさい。

1問2点　／16

① **リンジ**で会合を行う。（　　）
② **ジュモク**の間を走りぬける。（　　）
③ 山の**チョウジョウ**に立つ。（　　）
④ **シャクハチ**を習う。（　　）
⑤ 経理部に**ツト**める。（　　）
⑥ **シオ**の満ち引きを知る。（　　）
⑦ **キヌ**のスカーフを買う。（　　）
⑧ 正直は一生の**タカラ**（　　）

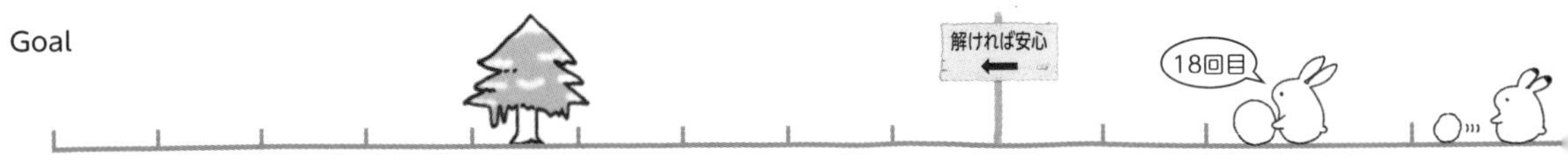

第19回 ミニテスト

よく出る

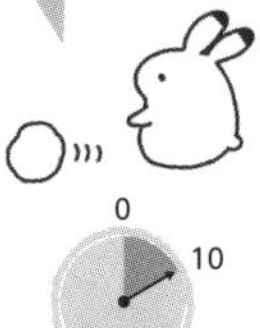

目標 10 分

月　日

/84点

目標59点

解答：別冊P.14

1 読み

次の――線の**漢字の読み**を**ひらがな**で書きなさい。

1問1点　/10

① 電力は**蒸気**の力で作られる。（　　）
② 大**規模**な大会だ。（　　）
③ **班**の足なみがそろわない。（　　）
④ **負担**が大きくなる。（　　）
⑤ **人権**が守られる。（　　）
⑥ やりすぎだと**忠告**された。（　　）
⑦ 神社に**参拝**する。（　　）
⑧ **源泉**かけ流しの宿だ。（　　）
⑨ 足の**筋**をのばす。（　　）
⑩ 秋の夜や旅の男の**針**しごと（　　）

4 同じ読みの漢字

次の――線の**カタカナ**を**漢字**になおしなさい。

1問2点　/20

① **キチョウ**が説明する。（　　）
② これは**キチョウ**な石だ。（　　）
③ 傷が治り**タイイン**した。（　　）
④ 消防**タイイン**になる。（　　）
⑤ **テントウ**で物を売る。（　　）
⑥ 明かりが**テントウ**する。（　　）
⑦ ロケットが**ハッシャ**される。（　　）
⑧ バスが**ハッシャ**する。（　　）
⑨ **ネ**をつり上げる。（　　）
⑩ 大地に**ネ**をおろす。（　　）

5 対義語

後の［　］の中のひらがなを漢字になおして、**対義語**（意味が反対のことば）を書きなさい。［　］の中のひらがなは**1度だけ**使い、**漢字1字**を書きなさい。

1問2点　/10

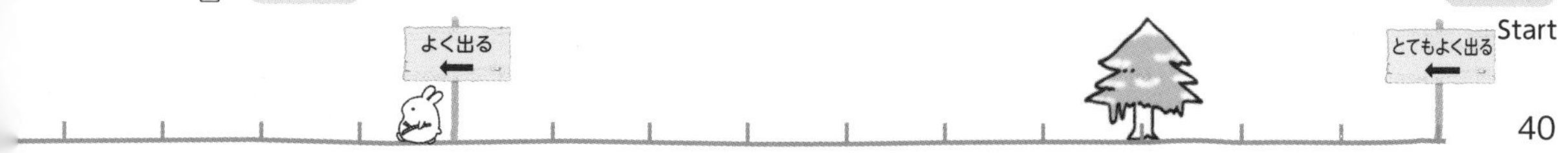

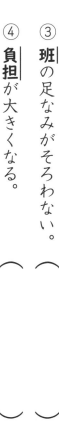

2 部首と部首名

次の漢字の**部首**と**部首名**を次の[　]の中から選び、**記号**で答えなさい。

1問1点　／12

（部首・部首名）

① 郷[　]（　）

② 宗[　]（　）

③ 盛[　]（　）

④ 枚[　]（　）

⑤ 欲[　]（　）

⑥ 装[　]（　）

あ 宀	か 阝
い 戈	き 皿
う 示	く 木
え 谷	け 欠
お 衣	こ 攵

ア きへん　**イ** たにへん　**ウ** ほこづくり　**エ** のぶん　**オ** ころも　**カ** あくび　**キ** うかんむり　**ク** しめす　**ケ** さら　**コ** おおざと

3 音と訓

漢字の読みには**音**と**訓**があります。次の**熟語の読み**は[　]の中のどの組み合わせになっていますか。**ア**〜**エ**の**記号**で答えなさい。

1問2点　／16

ア 音と音　**イ** 音と訓　**ウ** 訓と訓　**エ** 訓と音

① 運賃（　）

② 横顔（　）

③ 誤解（　）

④ 関所（　）

⑤ 呼吸（　）

⑥ 体操（　）

⑦ 無口（　）

⑧ 養蚕（　）

---

① 同質―□質

② 安全―□険

③ 死亡―□生

④ 可決―□決

⑤ 改悪―改□

い・き・ぜん・たん・ひ

6 書き取り

次の――線の**カタカナ**を**漢字**になおしなさい。

1問2点　／16

① ぶつかる**スンゼン**だった。（　）

② 足首を**コッセツ**した。（　）

③ **クイキ**の外に出る。（　）

④ 主将に**シュウニン**する。（　）

⑤ 牛の**チチ**をしぼる。（　）

⑥ **スナ**ぼこりがまう。（　）

⑦ **ツクエ**の上をかたづける。（　）

⑧ 一枚の紙にも**ウラ**表（　）

Goal

第20回

ミニテスト

よく出る

目標 10 分

月　日

/88点

目標62点

解答：別冊P.14

1 読み

1問1点　/10

次の――線の**漢字の読み**を**ひらがな**で書きなさい。

① 合意文書を**回覧**する。（　　）
② **肺**活量をきたえる。（　　）
③ EUに**加盟**する。（　　）
④ 新記録を**樹立**した。（　　）
⑤ 交通が**寸断**される。（　　）
⑥ 野球ボールを**包装**する。（　　）
⑦ 母は**洋裁**が得意だ。（　　）
⑧ **候補者**を立てる。（　　）
⑨ **背泳**ぎの練習をする。（　　）
⑩ イチョウ**並木**が色づく。（　　）

4 四字熟語

1問2点　/20

次の**カタカナ**を**漢字**になおし、**1字だけ**書きなさい。

① 円形**ゲキ**場（　　）
② 検**トウ**課題（　　）
③ 公**シュウ**電話（　　）
④ 酸素**キュウ**入（　　）
⑤ **シュウ**職活動（　　）
⑥ 人**ケン**尊重（　　）
⑦ 精**ミツ**検査（　　）
⑧ **セン**業農家（　　）
⑨ **ユウ**便番号（　　）
⑩ **ヨッ**求不満（　　）

5 熟語作り

1問2点　/6

後の［　］の中から漢字を2つ選んで、次の意味にあてはまる**熟語**を作りなさい。答えは**記号**で書きなさい。

① おしはかって決めること。（　・　）
② 意見などを言い表すこと。（　・　）
③ 借りた金などをかえすこと。（　・　）

［ア 返　イ 推　ウ 宣　エ 言　オ 済　カ 定］

6 類義語

1問2点　/10

後の［　］の中のひらがなを漢字になおして、**類義語**（意味がよく似たことば）を書きなさい。［　］の中のひらがなは**1度だけ**使い、**漢字1字**を書きなさい。

よく出る　←

とてもよく出る　←　Start

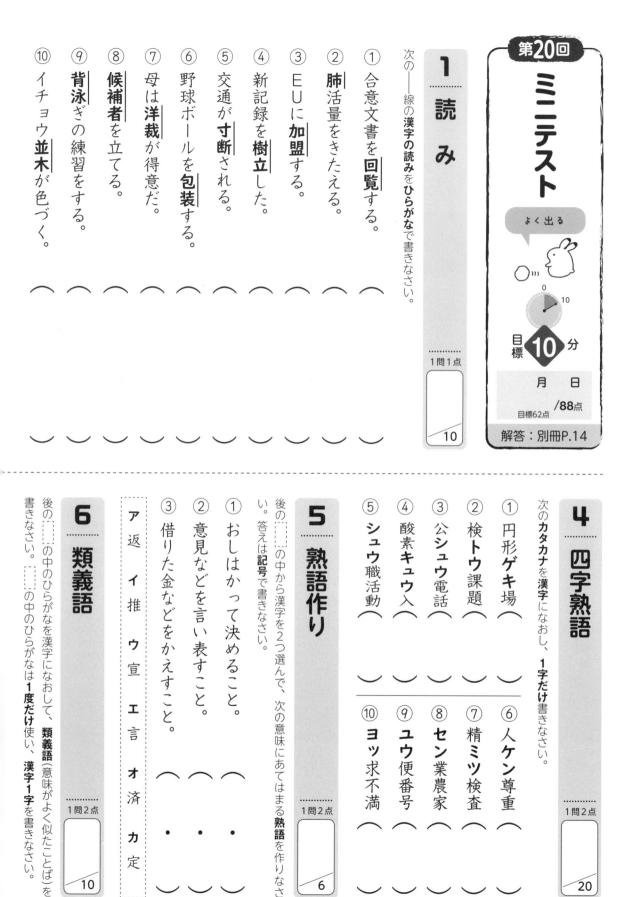

2 送りがな

次の――線の**カタカナ**の部分を**漢字1字**と**送りがな（ひらがな）**になおしなさい。

1問2点　/10

① スクリーンに**ウツス**。（　　）

② **ワカイ**のに落ち着いている。（　　）

③ ゴミを**アライ**流す。（　　）

④ 民の声が王に**トドク**。（　　）

⑤ 大事なことを**ワスレル**。（　　）

3 音と訓

漢字の読みには**音**と**訓**があります。次の**熟語の読み**は□の中のどの組み合わせになっていますか。**ア～エ**の**記号**で答えなさい。

1問2点　/16

ア 音と音　**イ** 音と訓　**ウ** 訓と訓　**エ** 訓と音

① 本筋（　　）

② 宇宙（　　）

③ 興奮（　　）

④ 郷土（　　）

⑤ 花束（　　）

⑥ 場面（　　）

⑦ 創設（　　）

⑧ 独奏（　　）

---

① 異論－異□

② 最良－最□

③ 指図－指□

④ 出生－□生

⑤ 職務－□務

き・ぎ・ぜん・たん・にん

7 書き取り

次の――線の**カタカナ**を**漢字**になおしなさい。

1問2点　/16

① **オンダン**な場所だ。（　　）

② 勝利の**カンゲキ**にひたる。（　　）

③ 店を**カイソウ**した。（　　）

④ **ハン**ごとに意見をまとめる。（　　）

⑤ 真っ白な**キヌイト**だ。（　　）

⑥ **ワタシ**がその本人だ。（　　）

⑦ 中世の**シロ**を見に行く。（　　）

⑧ **カタミチ**二キロある。（　　）

Goal

第21回 ミニテスト

目標 10 分

月　日

/96点

目標68点

解答：別冊P.14

1 読み

次の――線の**漢字の読み**を**ひらがな**で書きなさい。

1問1点　/10

① 梅は**食欲**を高める。（　　）

② **裁判官**が被《ひ》告をさとす。（　　）

③ **沿道**を通って学校に向かう。（　　）

④ **背景**に色を入れる。（　　）

⑤ ゴミをくず入れに**捨**てる。（　　）

⑥ **郷土**の文化を守る。（　　）

⑦ カシオペヤ**座**を探す。（　　）

⑧ 水分が**蒸発**する。（　　）

⑨ **異**なる文化が混ざり合う。（　　）

⑩ ふきの葉に**片足**かけて鳴くかわず（　　）

4 熟語の構成

漢字を2字組み合わせた熟語では、2つの漢字の間に意味の上で、次のような関係があります。

ア　反対や対《つい》になる意味の字を組み合わせたもの。（例…**強弱**）

イ　同じような意味の字を組み合わせたもの。（例…**進行**）

ウ　上の字が下の字の意味を説明（修飾《しょく》）しているもの。（例…**国旗**）

エ　下の字から上の字へ返って読むと意味がよくわかるもの。（例…**消火**）

次の**熟語**は、右の**ア**～**エ**のどれにあたるか、**記号**で答えなさい。

1問2点　/24

① 因果（　　）

② 厳守（　　）

③ 山頂（　　）

④ 視力（　　）

⑤ 就任（　　）

⑥ 諸国（　　）

⑦ 寸前（　　）

⑧ 洗車（　　）

⑨ 暖流（　　）

⑩ 米俵（　　）

⑪ 母乳（　　）

⑫ 豊富（　　）

5 対義語

後の［　］の中のひらがなを漢字になおして、**対義語**（意味が反対のことば）を書きなさい。［　］の中のひらがなは**1度だけ**使い、**漢字1字**を書きなさい。

1問2点　/10

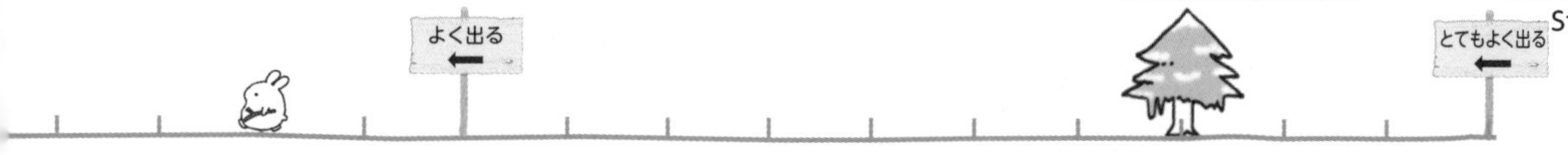

2　画数

1問1点　／16

次の漢字の**太い画**のところは**筆順の何画目**か、また**総画数は何画**か、**算用数字**（1、2、3…）で答えなさい。

（何画目・総画数）

① 延［　　］（　　）
② 看［　　］（　　）
③ 穀［　　］（　　）
④ 将［　　］（　　）
⑤ 蔵［　　］（　　）
⑥ 届［　　］（　　）
⑦ 奮［　　］（　　）
⑧ 宝［　　］（　　）

3　四字熟語

1問2点　／20

次の**カタカナ**を**漢字**になおし、**1字だけ**書きなさい。

① **キ**険信号（　　）
② 公害対**サク**（　　）
③ 実験**ソウ**置（　　）
④ **ショ**名活動（　　）
⑤ 人工**コ**吸（　　）
⑥ 団体**ワリ**引（　　）
⑦ 地下資**ゲン**（　　）
⑧ 党首討**ロン**（　　）
⑨ 発車時**コク**（　　）
⑩ 非常階**ダン**（　　）

---

① 激増－激□
② 横断－□断
③ 公開－秘□
④ 開幕－□幕
⑤ 前月－□月

げん・じゅう・へい・みつ・よく

6　書き取り

1問2点　／16

次の——線の**カタカナ**を**漢字**になおしなさい。

① 団体を**ソウリツ**する。（　　）
② 訳を自分なりに**スイリ**する。（　　）
③ 絵や器を**テンラン**会に出す。（　　）
④ **タクハイ**弁当をたのむ。（　　）
⑤ **スジミチ**を立てて説明する。（　　）
⑥ 今日で仕事**オサ**めだ。（　　）
⑦ 事件の**ウラガワ**を聞く。（　　）
⑧ 真綿で**ハリ**を包む（　　）

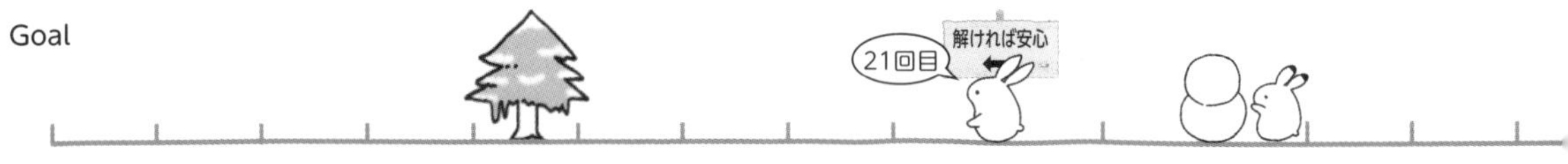

第22回 ミニテスト

解けねば安心！

目標 10 分

月　日

/84点

目標59点

解答：別冊P.15

1 読み

1問1点　/10

次の——線の**漢字の読み**を**ひらがな**で書きなさい。

① 乾パンは長期**保存**できる。（　）
② 希望の**部署**に配属される。（　）
③ 寺院を**拝観**する。（　）
④ 先生が家庭**訪問**する。（　）
⑤ 指導の**方針**を表明する。（　）
⑥ **独創的**な技術をもっている。（　）
⑦ 朝に**牛乳**を飲む。（　）
⑧ **開幕**当日をむかえる。（　）
⑨ 相手に**背**を向ける。（　）
⑩ 花の**株分**けの方法を学ぶ。（　）

4 同じ読みの漢字

1問2点　/20

次の——線の**カタカナ**を**漢字**になおしなさい。

① 天気は**カイセイ**だ。（　）
② 法を**カイセイ**する。（　）
③ **コウシュウ**電話を使う。（　）
④ 夏期**コウシュウ**を受ける。（　）
⑤ **コウカ**のほどを知る。（　）
⑥ **コウカ**な服を買う。（　）
⑦ **セイヨウ**文化を学ぶ。（　）
⑧ 家で**セイヨウ**する。（　）
⑨ **ヤク**五百円だ。（　）
⑩ 英語に**ヤク**をつける。（　）

5 類義語

1問2点　/10

後の□の中のひらがなを漢字になおして、**類義語**（意味がよく似たことば）を書きなさい。□の中のひらがなは**1度だけ**使い、**漢字1字**を書きなさい。

Start　とてもよく出る　よく出る

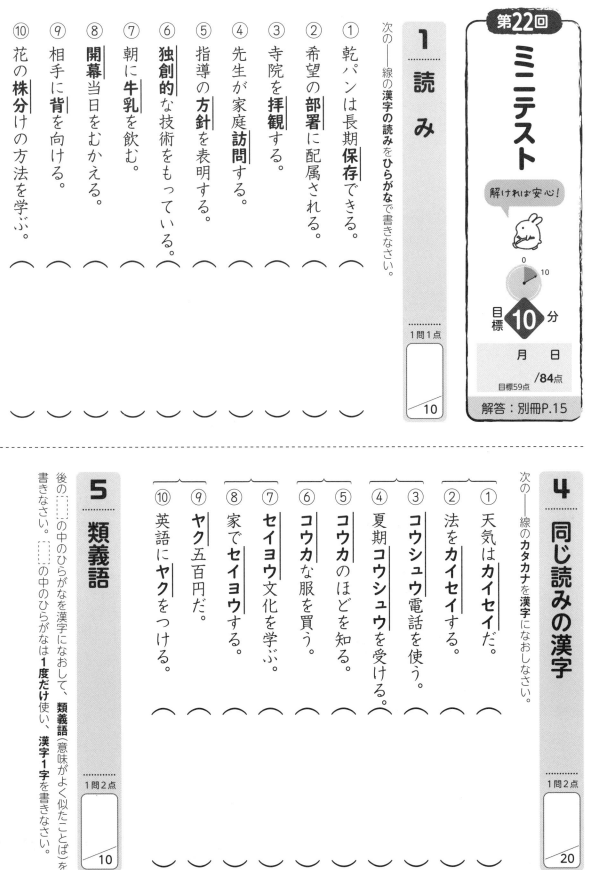

2 部首と部首名

次の漢字の**部首**と**部首名**を次の[ ]の中から選び、**記号**で答えなさい。

1問1点　/12

	部首	部首名
① 宇	[ ]	( )
② 割	[ ]	( )
③ 誌	[ ]	( )
④ 染	[ ]	( )
⑤ 担	[ ]	( )
⑥ 展	[ ]	( )

あ 日　い 言　う 扌　え 宀　お 尸
か 干　き 木　く 氵　け 心　こ 刂

ア き　イ ひ　ウ てへん　エ かん　オ ごんべん　カ りっとう　キ うかんむり　ク しかばね　ケ こころ　コ さんずい

3 音と訓

漢字の読みには**音**と**訓**があります。次の**熟語の読み**は[ ]の中のどの組み合わせになっていますか。**ア〜エ**の**記号**で答えなさい。

1問2点　/16

ア 音と音　**イ** 音と訓　**ウ** 訓と訓　**エ** 訓と音

① 王様（　）
② 座高（　）
③ 縦長（　）
④ 短縮（　）
⑤ 築城（　）
⑥ 登頂（　）
⑦ 閉館（　）
⑧ 傷口（　）

---

① 加入—加□
② 外国—□国
③ 同意—□成
④ 簡易—単□
⑤ 定時—定□

い・こく・さん・じゅん・めい

6 書き取り

次の——線の**カタカナ**を**漢字**になおしなさい。

1問2点　/16

① 役場に**シュウショク**する。（　）
② **ショクヨク**が止まらない。（　）
③ 最近の**エイガ**を見る。（　）
④ 解読が**コンナン**だ。（　）
⑤ 中立な立場で**サバ**く。（　）
⑥ **カタガワ**を通行する。（　）
⑦ 多くの人を**ウゴ**かす。（　）
⑧ 会社に**ミト**められた。（　）

第23回 ミニテスト

解ければ安心！

目標 10分

月　日

/88点　目標62点

解答：別冊P.15

1 読み

次の――線の**漢字の読み**を**ひらがな**で書きなさい。

1問1点　/10

① 彼女はわが社の**頭脳**だ。（　　）
② 立入禁止の**区域**だ。（　　）
③ **太陽系**の星を調べる。（　　）
④ 足が**棒**になる。（　　）
⑤ 古代の**秘宝**を手に入れる。（　　）
⑥ 犯人を法で**裁**く。（　　）
⑦ 友人の行動を**疑**う。（　　）
⑧ **若**いスタッフが多い。（　　）
⑨ 今日は**善**い行いをした。（　　）
⑩ **砂山**に泳がぬ妹の日傘《がさ》見ゆ（　　）

4 四字熟語

次の**カタカナ**を**漢字**になおし、**1字だけ**書きなさい。

1問2点　/20

① 保**ゾン**状態（　　）
② 宇**チュウ**空間（　　）
③ 期間**エン**長（　　）
④ 自**コ**本位（　　）
⑤ 自然**イ**産（　　）
⑥ 消化吸**シュウ**（　　）
⑦ 人体**モ**型（　　）
⑧ 防災対**サク**（　　）
⑨ **ユウ**便切手（　　）
⑩ 工業地**イキ**（　　）

5 熟語作り

後の[　]の中から漢字を2つ選んで、次の意味にあてはまる**熟語**を作りなさい。答えは**記号**で書きなさい。

1問2点　/6

① 行事などが始まること。（　・　）
② まじめに学び、働くこと。（　・　）
③ よし悪しについて考えを述べる。（　・　）

[**ア** 批　**イ** 開　**ウ** 勤　**エ** 評　**オ** 幕　**カ** 勉]

6 対義語

後の[　]の中のひらがなを漢字になおして、**対義語**（意味が反対のことば）を書きなさい。[　]の中のひらがなは**1度だけ**使い、**漢字1字**を書きなさい。

1問2点　/10

よく出る

とてもよく出る

Start

2 送りがな

1問2点　／10

次の――線の**カタカナ**の部分を**漢字1字と送りがな（ひらがな）**になおしなさい。

① それは**アブナイ**考えかただ。（　　）
② **アヤマッ**た手段をとる。（　　）
③ かのじょの色に**ソマル**。（　　）
④ 部屋でおやつを**イタダク**。（　　）
⑤ **オサナイ**顔立ちだ。（　　）

3 音と訓

1問2点　／16

漢字の読みには**音**と**訓**があります。次の**熟語の読み**は［　］の中のどの組み合わせになっていますか。**ア**～**エ**の**記号**で答えなさい。

［**ア** 音と音　**イ** 音と訓　**ウ** 訓と訓　**エ** 訓と音］

① 看病（　　）
② 心臓（　　）
③ 聖火（　　）
④ 茶畑（　　）
⑤ 通訳（　　）
⑥ 討議（　　）
⑦ 法律（　　）
⑧ 裏口（　　）

① 悲報―□報
② 同種―□種
③ 否決―□決
④ 公立―□立
⑤ 無視―□重

［い・か・し・そん・ろう］

7 書き取り

1問2点　／16

次の――線の**カタカナ**を**漢字**になおしなさい。

① 人口**ミツド**が高い。（　　）
② **ジシャク**のように引き合う。（　　）
③ 友人の家を**ホウモン**する。（　　）
④ **シンコク**な問題だ。（　　）
⑤ **クロシオ**は海流だ。（　　）
⑥ **ネ**が張る買い物だ。（　　）
⑦ **カタホウ**の手で合図する。（　　）
⑧ **セ**に腹は変えられぬ（　　）

第24回

ミニテスト

解ければ安心!

目標 **10** 分

月　日

/96点

目標68点

解答：別冊P.15

1 読み

1問1点　/10

次の――線の**漢字の読み**を**ひらがな**で書きなさい。

① 松原を**展望台**からながめる。（　　）
② **地蔵**が見守るのどかな村。（　　）
③ 今が人気の**絶頂**だ。（　　）
④ **臓器**の移植を受ける。（　　）
⑤ 名画を**模写**した。（　　）
⑥ 日本を**縦断**する計画だ。（　　）
⑦ 牛の**乳**をしぼる。（　　）
⑧ 野菜が**値上**がりした。（　　）
⑨ **首筋**にあせをかく。（　　）
⑩ 9回**裏**の最後のチャンスだ。（　　）

4 熟語の構成

1問2点　/24

漢字を2字組み合わせた熟語では、2つの漢字の間に意味の上で、次のような関係があります。

ア 反対や対《つい》になる意味の字を組み合わせたもの。（例…**強弱**）
イ 同じような意味の字を組み合わせたもの。（例…**進行**）
ウ 上の字が下の字の意味を説明(修飾《しょく》)しているもの。（例…**国旗**）
エ 下の字から上の字へ返って読むと意味がよくわかるもの。（例…**消火**）

次の**熟語**は、右の**ア**～**エ**のどれにあたるか、**記号**で答えなさい。

① 往復（　　）
② 温泉（　　）
③ 開幕（　　）
④ 胸囲（　　）
⑤ 禁止（　　）
⑥ 増減（　　）
⑦ 停止（　　）
⑧ 表現（　　）
⑨ 閉館（　　）
⑩ 幼虫（　　）
⑪ 養蚕（　　）
⑫ 難易（　　）

5 類義語

1問2点　/10

後の□の中のひらがなを漢字になおして、**類義語**(意味がよく似たことば)を書きなさい。□の中のひらがなは**1度だけ**使い、**漢字1字**を書きなさい。

よく出る　とてもよく出る　Start

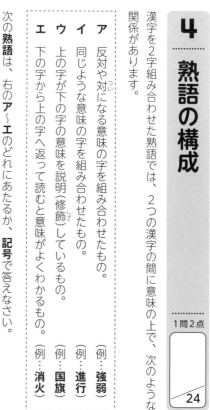

2 画数

1問1点　／16

次の漢字の**太い画**のところは**筆順の何画目**か、また**総画数は何画**か、**算用数字**（1、2、3…）で答えなさい。

何画目　総画数

① 危［　］（　）
② 吸［　］（　）
③ 至［　］（　）
④ 熟［　］（　）
⑤ 城［　］（　）
⑥ 盛［　］（　）
⑦ 存［　］（　）
⑧ 難［　］（　）

3 四字熟語

1問2点　／20

次の**カタカナ**を**漢字**になおし、**1字だけ**書きなさい。

① **ウ**宙開発（　）
② 規模**カク**大（　）
③ 記録**エイ**画（　）
④ 高**ソウ**住宅（　）
⑤ 失業対**サク**（　）
⑥ 親**ゼン**試合（　）
⑦ 人員点**コ**（　）
⑧ 水産資**ゲン**（　）
⑨ 方位**ジ**針（　）
⑩ **リン**時国会（　）

---

① 帰省―帰□
② 感服―□服
③ 時間―時□
④ 始末―□分
⑤ 観察―注□

きょう・けい・こく・し・しょ

6 書き取り

1問2点　／16

次の――線の**カタカナ**を**漢字**になおしなさい。

① **タンニン**の教師に会う。（　）
② **サイバン**に出席する。（　）
③ 湖を**ユウラン**する。（　）
④ **エンガン**を見回る。（　）
⑤ 海上の**ケイビ**をする。（　）
⑥ 自分を**フル**い立たせる。（　）
⑦ **ハデ**な動きで引きつける。（　）
⑧ **ハイ**吹きから蛇《へび》が出る（　）

第25回 ミニテスト

目標 10 分

月　日

/84点

目標59点

解答：別冊P.16

1 読み

次の――線の**漢字の読み**を**ひらがな**で書きなさい。

1問1点　/10

① 父は**養蚕**の仕事をしている。（　　）
② 冬に向けて食料を**保存**する。（　　）
③ 勝ち上がって**王座**につく。（　　）
④ 活発な**議論**を交わす。（　　）
⑤ **軽装**で山登りをする。（　　）
⑥ 有名な**国宝**を見に行く。（　　）
⑦ 練習で**負傷**した。（　　）
⑧ **幼少**期の夢をかなえる。（　　）
⑨ **潮**の香りがする。（　　）
⑩ ネコが**宙返**りして着地する。（　　）

4 同じ読みの漢字

次の――線の**カタカナ**を**漢字**になおしなさい。

1問2点　/20

① **コウカ**が下がる。（　　）
② はしごで**コウカ**する。（　　）
③ **ショウメイ**がまぶしい。（　　）
④ 仮説を**ショウメイ**する。（　　）
⑤ **デントウ**を守り続ける。（　　）
⑥ **デントウ**があかるい。（　　）
⑦ **ヨウイ**に答えられる。（　　）
⑧ 明日の**ヨウイ**をする。（　　）
⑨ 大きな声で**ヨ**ぶ。（　　）
⑩ たき火の近くに**ヨ**る。（　　）

5 対義語

後の[ ]の中のひらがなを漢字になおして、**対義語**（意味が反対のことば）を書きなさい。[ ]の中のひらがなは**1度だけ**使い、**漢字1字**を書きなさい。

1問2点　/10

とてもよく出る ←　Start

よく出る ←

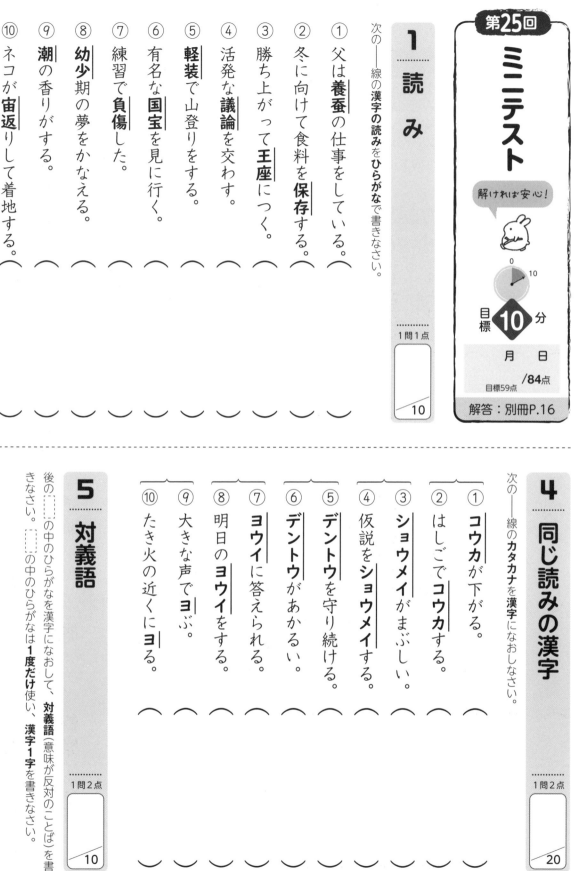

2 部首と部首名

次の漢字の**部首**と**部首名**を次の［　］の中から選び、**記号**で答えなさい。

1問1点　/12

	部首	部首名
① 拡	［　］	（　）
② 縮	［　］	（　）
③ 窓	［　］	（　）
④ 臓	［　］	（　）
⑤ 忘	［　］	（　）
⑥ 覧	［　］	（　）

あ 見　**い** 广　**う** 糸　**え** 月　**お** 穴
か 八　**き** 艹　**く** 扌　**け** 宀　**こ** 心

ア みる　**イ** いとへん　**ウ** あなかんむり　**エ** てへん　**オ** まだれ　**カ** うかんむり　**キ** はち　**ク** にくづき　**ケ** こころ　**コ** くさかんむり

3 音と訓

漢字の読みには**音**と**訓**があります。次の**熟語の読み**は［　］の中のどの組み合わせになっていますか。**ア**〜**エ**の**記号**で答えなさい。

1問2点　/16

ア 音と音　**イ** 音と訓　**ウ** 訓と訓　**エ** 訓と音

① 除草（　）
② 職場（　）
③ 水源（　）
④ 鉄棒（　）
⑤ 背中（　）
⑥ 布製（　）
⑦ 模型（　）
⑧ 係長（　）

① 順風 ― □風
② 子孫 ― □先
③ 支出 ― □入
④ 悪人 ― □人
⑤ 開館 ― □館

ぎゃく・しゅう・ぜん・そ・へい

6 書き取り

次の――線の**カタカナ**を**漢字**になおしなさい。

1問2点　/16

① **カンシュウ**がなだれこむ。（　）
② **キョウド**の味をなつかしむ。（　）
③ 正しい**ケイゴ**を使う。（　）
④ 楽団が**ガッソウ**する。（　）
⑤ 大**キボ**な工事が始まる。（　）
⑥ **カタトキ**も目がはなせない。（　）
⑦ 赤い口**ベニ**を買う。（　）
⑧ **ユウグ**れに一番星が光る。（　）

第26回 ミニテスト

解ければ安心！

目標 10 分

月　日

/88点
目標62点

解答：別冊P.16

1 読み

次の――線の**漢字の読み**を**ひらがな**で書きなさい。

1問1点　/10

① 学校で**経済学**を教える。（　　）
② **温泉**でゆっくりする。（　　）
③ 家族の**看護**を続ける。（　　）
④ 母の気持ちを**尊重**する。（　　）
⑤ **担任**の先生にあいさつする。（　　）
⑥ 見事な**天守閣**だ。（　　）
⑦ コーヒーに**砂糖**を入れる。（　　）
⑧ **幼児**と公園で遊ぶ。（　　）
⑨ **危**ない場所に立ち入らない。（　　）
⑩ 冴《さ》え返る空**灰**色に凧《たこ》一つ（　　）

4 四字熟語

次の**カタカナ**を**漢字**になおし、**1字だけ**書きなさい。

1問2点　/20

① 生**ゾン**競争（　　）
② **イ**産相続（　　）
③ 器楽演**ソウ**（　　）
④ 国際**ユウ**便（　　）
⑤ 森林資**ゲン**（　　）
⑥ 人エ**コ**吸（　　）
⑦ **セン**門技術（　　）
⑧ 創作意**ヨク**（　　）
⑨ 同時通**ヤク**（　　）
⑩ **ホ**欠選挙（　　）

5 熟語作り

後の□の中から漢字を2つ選んで、次の意味にあてはまる**熟語**を作りなさい。答えは**記号**で書きなさい。

1問2点　/6

① 調べて考えること。（　・　）
② ある場所に入れること。（　・　）
③ 細かく切ること。（　・　）

ア 検　**イ** 寸　**ウ** 収　**エ** 討　**オ** 容　**カ** 断

6 類義語

後の□の中のひらがなを漢字になおして、**類義語**（意味がよく似たことば）を書きなさい。□の中のひらがなは**1度だけ**使い、**漢字1字**を書きなさい。

1問2点　/10

よく出る ←

とてもよく出る ← Start

2 送りがな

1問2点　/10

次の――線のカタカナの部分を漢字1字と送りがな（ひらがな）になおしなさい。

① ウタガウことを知らない。（　　）
② 知り合いが役所にツトメル。（　　）
③ 上からの指令にシタガウ。（　　）
④ チヂンダ毛糸のセーター。（　　）
⑤ 電車のダイヤがミダレル。（　　）

3 音と訓

1問2点　/16

漢字の読みには音と訓があります。次の熟語の読みは□の中のどの組み合わせになっていますか。ア～エの記号で答えなさい。

ア 音と音　イ 音と訓　ウ 訓と訓　エ 訓と音

① 茶色（　　）
② 改装（　　）
③ 冊数（　　）
④ 若草（　　）
⑤ 対策（　　）
⑥ 定刻（　　）
⑦ 閉店（　　）
⑧ 宝箱（　　）

① 最良 ― 最□
② 指図 ― 指□
③ 観点 ― □点
④ 悪化 ― □化
⑤ 進歩 ― 発□

し・じ・ぜん・たい・てん

7 書き取り

1問2点　/16

次の――線のカタカナを漢字になおしなさい。

① コクモツの豊作を願う。（　　）
② 保守セイトウの主張を聞く。（　　）
③ セイカ台で炎が上がる。（　　）
④ シキュウの用件に対応する。（　　）
⑤ セスジが寒くなる。（　　）
⑥ 気力をフルい立たせる。（　　）
⑦ 家のかぎを弟にアズける。（　　）
⑧ 同じアナのむじな（　　）

第27回 ミニテスト

目標 10 分

月　日

/96点

目標68点

解答：別冊P.16

1 読み

次の――線の**漢字の読み**を**ひらがな**で書きなさい。

1問1点　/10

① **一寸**先はやみ。（　　）
② **視力**検査を受ける。（　　）
③ **危険**な人物からはなれる。（　　）
④ **誤解**をしていたと謝った。（　　）
⑤ **至急**のお願いをされる。（　　）
⑥ **大規模**な工事になりそうだ。（　　）
⑦ **翌日**にメールを送った。（　　）
⑧ **著者**にサインをもらう。（　　）
⑨ **正座**して話をした。（　　）
⑩ **割引券**を上手に使う。（　　）

4 熟語の構成

漢字を2字組み合わせた熟語では、2つの漢字の間に意味の上で、次のような関係があります。

1問2点　/24

ア　反対や対《つい》になる意味の字を組み合わせたもの。（例…**強弱**）
イ　同じような意味の字を組み合わせたもの。（例…**進行**）
ウ　上の字が下の字の意味を説明(修飾《しょく》)しているもの。（例…**国旗**）
エ　下の字から上の字へ返って読むと意味がよくわかるもの。（例…**消火**）

次の**熟語**は、右の**ア**～**エ**のどれにあたるか、**記号**で答えなさい。

① 負傷（　　）
② 家宝（　　）
③ 改革（　　）
④ 私服（　　）
⑤ 植樹（　　）
⑥ 重視（　　）
⑦ 誠意（　　）
⑧ 損益（　　）
⑨ 鉄棒（　　）
⑩ 挙手（　　）
⑪ 立腹（　　）
⑫ 特権（　　）

5 対義語

1問2点　/10

後の［　］の中のひらがなを漢字になおして、**対義語**(意味が反対のことば)を書きなさい。［　］の中のひらがなは**1度だけ**使い、**漢字1字**を書きなさい。

Start　とてもよく出る　よく出る

2 画数

1問1点　／16

次の漢字の**太い画**のところは**筆順の何画目**か、また**総画数は何画**か、**算用数字**（1、2、3…）で答えなさい。

何画目　総画数

① 株［　　］（　　）
② 巻［　　］（　　）
③ 胸［　　］（　　）
④ 済［　　］（　　）
⑤ 姿［　　］（　　）
⑥ 収［　　］（　　）
⑦ 糖［　　］（　　）
⑧ 卯［　　］（　　）

3 四字熟語

1問2点　／20

次の**カタカナ**を**漢字**になおし、**1字だけ**書きなさい。

① **イ**ロ同音（　　）
② 温**セン**旅館（　　）
③ **ケイ**備体制（　　）
④ 事務**ショ**理（　　）
⑤ 集合時**コク**（　　）
⑥ **ジョ**雪作業（　　）
⑦ 人口**ミツ**度（　　）
⑧ 人権**セン**言（　　）
⑨ 水分**ホ**給（　　）
⑩ 速達**ユウ**便（　　）

---

① 安易－困□
② 横糸－□糸
③ 悪意－□意
④ 延長－短□
⑤ 寒色－□色

しゅく・ぜん・たて・だん・なん

6 書き取り

1問2点　／16

次の――線の**カタカナ**を**漢字**になおしなさい。

① 大人しく**キタク**する。（　　）
② **タントウ**者にあいさつする。（　　）
③ 大**ノウ**の機能を解明する。（　　）
④ 有名な**ハイユウ**だ。（　　）
⑤ 牛肉を**レイゾウ**する。（　　）
⑥ **ホネミ**にしみる。（　　）
⑦ 祭りを**モ**り上げる。（　　）
⑧ **シタ**の根もかわかぬうち（　　）

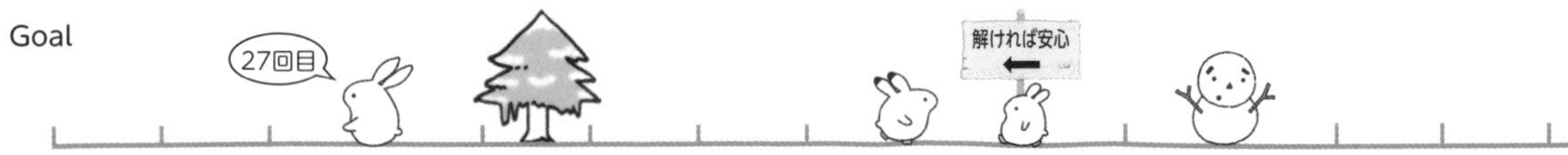

第28回 ミニテスト

目標 10 分

月　日

/84点

目標59点

解答：別冊P.17

1 読み

次の――線の**漢字の読み**を**ひらがな**で書きなさい。

1問1点　/10

① 静かに**晩年**をすごした。（　　）
② 大きな絵を**縮小**する。（　　）
③ **将来**の夢を語り合う。（　　）
④ 新商品を**宣伝**する。（　　）
⑤ **定刻**からおくれる。（　　）
⑥ **鉄筋**コンクリートの建物だ。（　　）
⑦ 桜を**植樹**した。（　　）
⑧ 自分の目標を**探**したい。（　　）
⑨ 気持ちを**奮**い起こす。（　　）
⑩ やっと**片**がついた。（　　）

4 同じ読みの漢字

次の――線の**カタカナ**を**漢字**になおしなさい。

1問2点　/20

① 一歩**ゼンシン**する。（　　）
② **ゼンシン**で受け止める。（　　）
③ 思いを**ヒョウゲン**する。（　　）
④ 南極の**ヒョウゲン**を歩く。（　　）
⑤ **ドクソウ**的な作品だ。（　　）
⑥ ステージで**ドクソウ**する。（　　）
⑦ エジソンの**デンキ**を読む。（　　）
⑧ **デンキ**を動力とする。（　　）
⑨ 旅で**ユウコウ**を深める。（　　）
⑩ **ユウコウ**な技を放つ。（　　）

5 類義語

後の[　]の中のひらがなを漢字になおして、**類義語**（意味がよく似たことば）を書きなさい。[　]の中のひらがなは**1度だけ**使い、**漢字1字**を書きなさい。

1問2点　/10

Start　とてもよく出る←　よく出る←

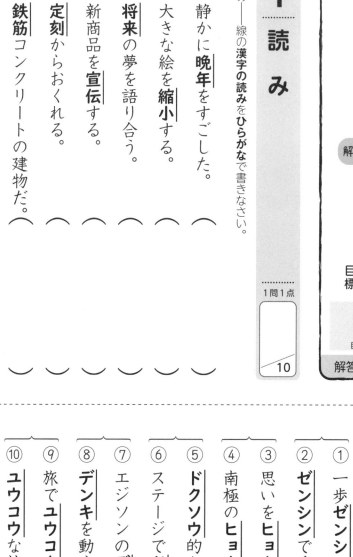

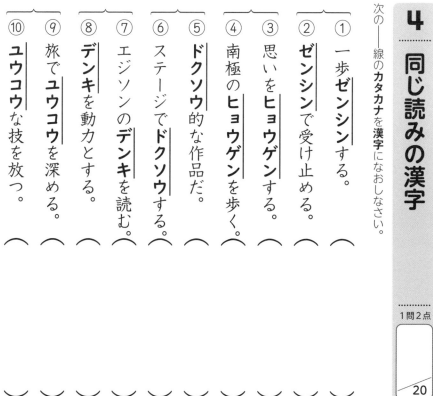

2 部首と部首名

次の漢字の**部首**と**部首名**を次の[　]の中から選び、**記号**で答えなさい。

1問1点　/12

	部首	部首名
① 胸	[　]	(　)
② 激	[　]	(　)
③ 蚕	[　]	(　)
④ 忠	[　]	(　)
⑤ 幕	[　]	(　)
⑥ 晩	[　]	(　)

あ 巾　い 口　う 山　え 白　お 月
か 心　き 一　く 虫　け 日　こ 氵

ア むし　イ にくづき　ウ こころ　エ くち　オ いち　カ ひへん　キ しろ　ク うけばこ　ケ さんずい　コ はば

3 音と訓

漢字の読みには**音**と**訓**があります。次の**熟語の読み**は[　]の中のどの組み合わせになっていますか。**ア〜エ**の**記号**で答えなさい。

1問2点　/16

ア 音と音　**イ** 音と訓　**ウ** 訓と訓　**エ** 訓と音

① 姿勢（　）
② 手製（　）
③ 聖地（　）
④ 試合（　）
⑤ 納品（　）
⑥ 背後（　）
⑦ 包装（　）
⑧ 並木（　）

① 真心 ― □意
② 価格 ― 値□
③ 作者 ― □者
④ 役者 ― □優
⑤ 明日 ― □日

せい・だん・ちょ・はい・よく

6 書き取り

次の――線の**カタカナ**を**漢字**になおしなさい。

1問2点　/16

① 子の**タンジョウ**を祝福する。（　）
② 入場制限を**カイジョ**する。（　）
③ 人権は**ケンポウ**で守られる。（　）
④ **シカイ**がぼやける。（　）
⑤ 親を**ソンケイ**する。（　）
⑥ 林の中を**サンサク**する。（　）
⑦ 海水がうずを**マ**く。（　）
⑧ 日**ク**れて途遠《みち》し（　）

第29回 ミニテスト

解ければ安心!

目標 10 分

月　日

/88点

目標62点

解答：別冊P.17

1 読み

次の――線の**漢字の読み**を**ひらがな**で書きなさい。

1問1点　/10

① 深海を**探査**する。（　　）
② **冬至**にゆず湯に入る。（　　）
③ **警官**になるのが夢だ。（　　）
④ ラジオ**体操**をする。（　　）
⑤ ぶつかる**寸前**で止まる。（　　）
⑥ **展覧会**に出品する。（　　）
⑦ 夜通し**討議**した。（　　）
⑧ たくさん食べて**満腹**になる。（　　）
⑨ ゴムがのび**縮**みする。（　　）
⑩ よく**熟**れたみかんだ。（　　）

4 四字熟語

次の**カタカナ**を**漢字**になおし、**1字だけ**書きなさい。

1問2点　/20

① 意識改**カク**（　　）
② **エイ**像技術（　　）
③ 時間**エン**長（　　）
④ 自**コ**主張（　　）
⑤ 証**ケン**会社（　　）
⑥ 情報提**キョウ**（　　）
⑦ **セン**門分野（　　）
⑧ 体**ソウ**選手（　　）
⑨ 保**ゾン**容器（　　）
⑩ **リン**海学校（　　）

5 熟語作り

後の□の中から漢字を2つ選んで、次の意味にあてはまる**熟語**を作りなさい。答えは**記号**で書きなさい。

1問2点　/6

① とても大切なこと。（　・　）
② 全体を動かすこと。（　・　）
③ けがをすること。（　・　）

ア 貴　イ 負　ウ 指　エ 重　オ 傷　カ 揮

6 対義語

後の□の中のひらがなを漢字になおして、**対義語**(意味が反対のことば)を書きなさい。□の中のひらがなは**1度だけ**使い、**漢字1字**を書きなさい。

1問2点　/10

よく出る

とてもよく出る

Start

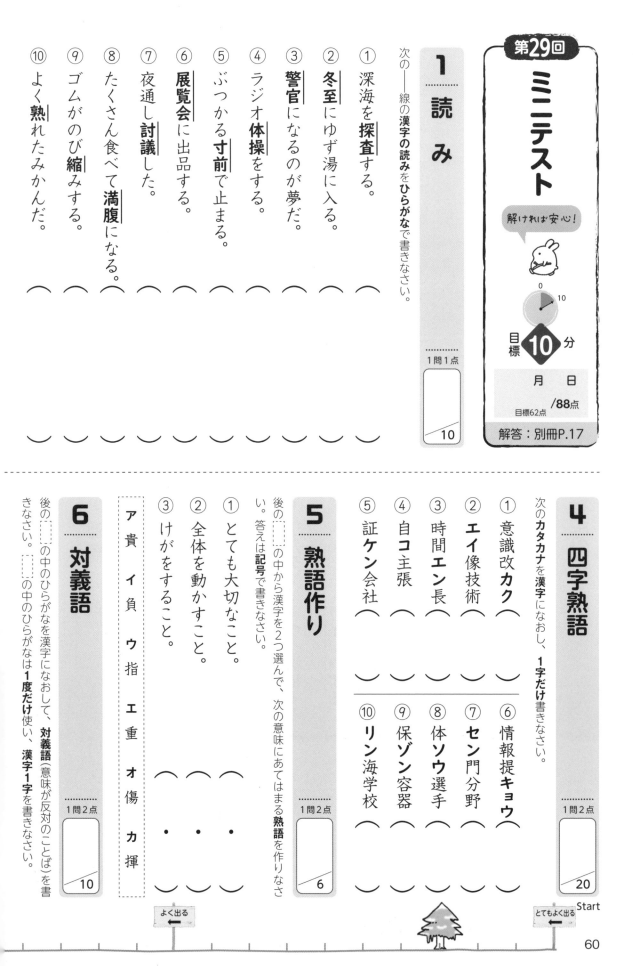

2 送りがな

1問2点 ／10

次の――線のカタカナの部分を**漢字1字と送りがな（ひらがな）**になおしなさい。

① 年配の方を**ウヤマウ**。（　　）
② 親友が道を**アヤマル**。（　　）
③ 引っこしの手続きが**スム**。（　　）
④ 長く悲しみに**クレル**。（　　）
⑤ **ワスレ**られない思い出だ。（　　）

3 音と訓

1問2点 ／16

漢字の読みには**音**と**訓**があります。次の**熟語の読み**は□の中のどの組み合わせになっていますか。**ア**～**エ**の**記号**で答えなさい。

ア 音と音　**イ** 音と訓　**ウ** 訓と訓　**エ** 訓と音

① 解除（　　）
② 源流（　　）
③ 厚着（　　）
④ 残高（　　）
⑤ 署名（　　）
⑥ 推進（　　）
⑦ 裏作（　　）
⑧ 旧型（　　）

---

① 満潮―□潮
② 発散―□収
③ 退職―□職
④ 開幕―□幕
⑤ 散在―□集

かん・きゅう・しゅう・へい・みっ

7 書き取り

1問2点 ／16

次の――線の**カタカナ**を**漢字**になおしなさい。

① かれはネタの**ホウコ**だ。（　　）
② **ノウゼイ**の義務がある。（　　）
③ 戦いに勝って**オウザ**につく。（　　）
④ **ヨクシュウ**には町を去る。（　　）
⑤ かれは**セオヨ**ぎがうまい。（　　）
⑥ かれの**スガタ**が消える。（　　）
⑦ **ハリガネ**で工作をする。（　　）
⑧ 長い**イシダン**を上る。（　　）

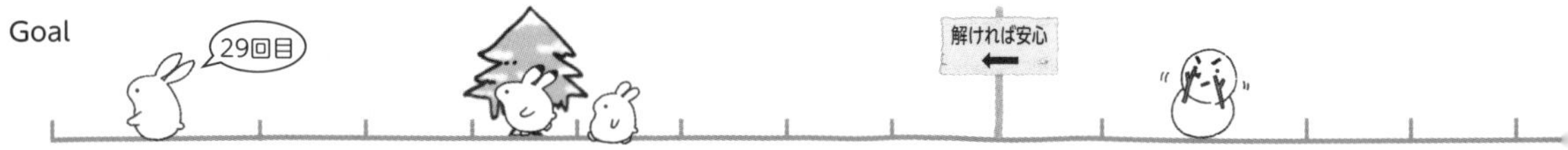

第30回

ミニテスト

目標 10 分

月　日

/96点

目標68点

解答：別冊P.17

1 読み

次の——線の**漢字の読み**を**ひらがな**で書きなさい。

1問1点　/10

① 団体で**衆議院**を見学する。（　　）
② 明るい**歌詞**にはげまされる。（　　）
③ **街路樹**の下で手をふった。（　　）
④ **観覧車**に乗って町を見る。（　　）
⑤ かれは**貴重**な友達だ。（　　）
⑥ **興奮**が止まらない。（　　）
⑦ **縮尺**をきちんと計算する。（　　）
⑧ 後ろ**姿**が遠ざかる。（　　）
⑨ たいしたことのない**傷**だ。（　　）
⑩ **若葉**吹く風さらさらと鳴りながら（　　）

4 熟語の構成

漢字を2字組み合わせた熟語では、2つの漢字の間に意味の上で、次のような関係があります。

1問2点　/24

ア 反対や対《つい》になる意味の字を組み合わせたもの。（例…**強弱**）
イ 同じような意味の字を組み合わせたもの。（例…**進行**）
ウ 上の字が下の字の意味を説明（修飾《しょく》）しているもの。（例…**国旗**）
エ 下の字から上の字へ返って読むと意味がよくわかるもの。（例…**消火**）

次の**熟語**は、右の**ア**～**エ**のどれにあたるか、**記号**で答えなさい。

① 危険（　　）
② 洗面（　　）
③ 純白（　　）
④ 城主（　　）
⑤ 創造（　　）
⑥ 発着（　　）
⑦ 密林（　　）
⑧ 翌週（　　）
⑨ 翌日（　　）
⑩ 別冊（　　）
⑪ 閉幕（　　）
⑫ 困難（　　）

5 類義語

後の［　］の中のひらがなを漢字になおして、**類義語**（意味がよく似たことば）を書きなさい。［　］の中のひらがなは**1度だけ**使い、**漢字1字**を書きなさい。

1問2点　/10

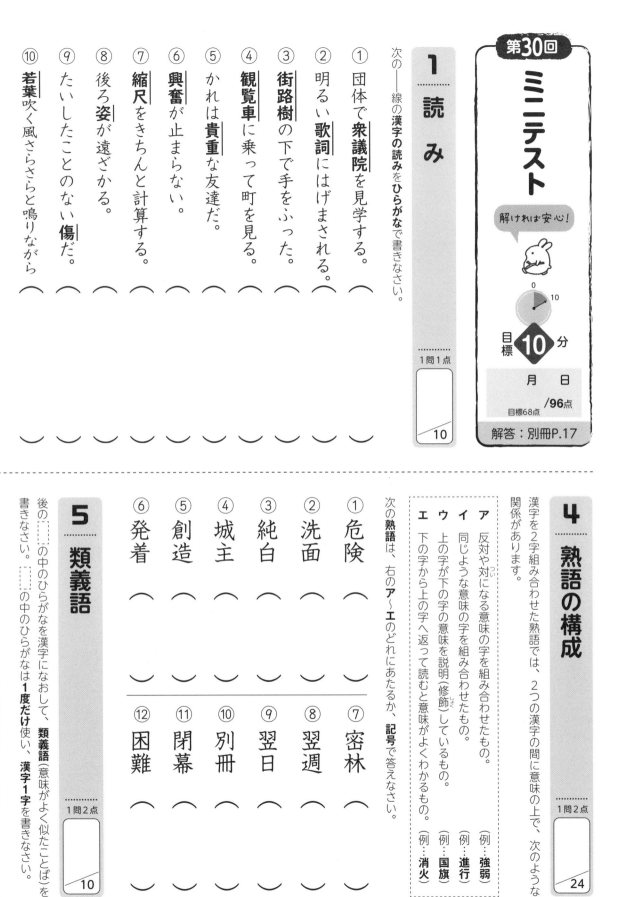

2 画数

1問1点　／16

次の漢字の**太い画**のところは**筆順の何画目**か、また**総画数は何画**か、**算用数字**（1、2、3…）で答えなさい。

	漢字	何画目	総画数
①	域	[　]	（　）
②	箇	[　]	（　）
③	策	[　]	（　）
④	誠	[　]	（　）
⑤	善	[　]	（　）
⑥	装	[　]	（　）
⑦	並	[　]	（　）
⑧	幼	[　]	（　）

3 四字熟語

1問2点　／20

次の**カタカナ**を**漢字**になおし、**1字だけ**書きなさい。

① 海**ナン**救助（　）
② 学校**ホウ**問（　）
③ **カブ**式市場（　）
④ 起**ショウ**転結（　）
⑤ 行動指**シン**（　）
⑥ 指**キ**命令（　）
⑦ 条件反**シャ**（　）
⑧ 心**ゾウ**肥大（　）
⑨ **スイ**定無罪（　）
⑩ 鉄道**エン**線（　）

---

① 役目－役□
② 所得－□入
③ 助言－□告
④ 後方－□後
⑤ 保管－保□

しゅう・ぞん・ちゅう・はい・わり

6 書き取り

1問2点　／16

次の——線の**カタカナ**を**漢字**になおしなさい。

① **カイカク**を進める。（　）
② **コウスイ**確率を伝える。（　）
③ **ジコ**実現をめざして進む。（　）
④ **センヨウ**バスに乗る。（　）
⑤ **トウブン**がつかれをいやす。（　）
⑥ 友に**カコ**まれて写真をとる。（　）
⑦ 新しい町でも**ムネ**を張る。（　）
⑧ 初心**ワス**るべからず（　）

勉強の「やる気」を出すコツ

毎日忙しいなかで、資格の勉強をするのは大変だし、やる気が出ないこともありますよね。でも、せっかく受けるのなら合格しないとお金も時間ももったいない！　そこで、勉強のやる気アップのコツをお伝えします。

❶ 周りの人を巻き込んで、味方をたくさんつくる！

試験で大事なのは、1人きりで勉強しないこと。どんなに意志の強い人でも、1人きりで頑張り続けるのはとても難しいことです。たくさんの人に目標を話して、仲間や応援してくれる人を見つけましょう。

やってみよう

- □「一緒に受けよう！」と友達をさそってみる
- □ SNS や勉強アプリなどを使って、同じ試験を受ける仲間を見つける
- □ リビングやトイレに「5級合格！」と書いた紙を貼って、家族に応援してもらう

❷ 勉強したら、すぐに誰かにシェアする

資格勉強で難しいのは、結果がすぐに見えないこと。今の努力の成果が見えるのが、1か月、2か月先、と言われるとつらいですよね。そこで、やる気を出すために自分で「ごほうび」をつくりましょう。おすすめは、勉強したら誰かにシェアすること。みんなの反応をごほうびにするとやる気が出ます。

やってみよう

- □ 勉強を始めたとき、終わったときに SNS に投稿
  （「勉強する」と宣言した手前、しばらくは携帯をいじりにくくなる効果も）
- □ ミニテストの結果や、まちがえた問題をクイズにして投稿する
- □ 同じ試験を目指す仲間と、問題を出し合ってみる

❸ すぐにやる。悩む時間をゼロにする！

勉強は「始めるまで」がつらいですよね。部屋の汚れや携帯がつい気になってしまう人も多いのではないでしょうか。スムーズに始めるコツはただ一つ「とりあえずすぐやる」こと。「まず○○をやってから…」という準備はやめましょう。まずは眺めるだけ、5 問解くだけでも OK。週に1度、整った環境で2時間勉強するより、毎日 10 分勉強するほうが力がつきます。

また、10 秒悩んで解けない問題は、答えを見てしまいましょう。同じ時間を使うなら、覚えてない漢字に悩むより、答えを見ながら書いて覚えるほうが効率的です。

やってみよう

- □ 朝、机の上に問題集を開いておいて、帰ってきたらすぐに解く
- □ ミニテストの問題を携帯で写真にとっておいて、空いた時間に眺める
- □ 10 秒思い浮かばなかったら、さっさと答えを見る

第２章

総仕上げ 模擬テスト

模擬テストの使い方

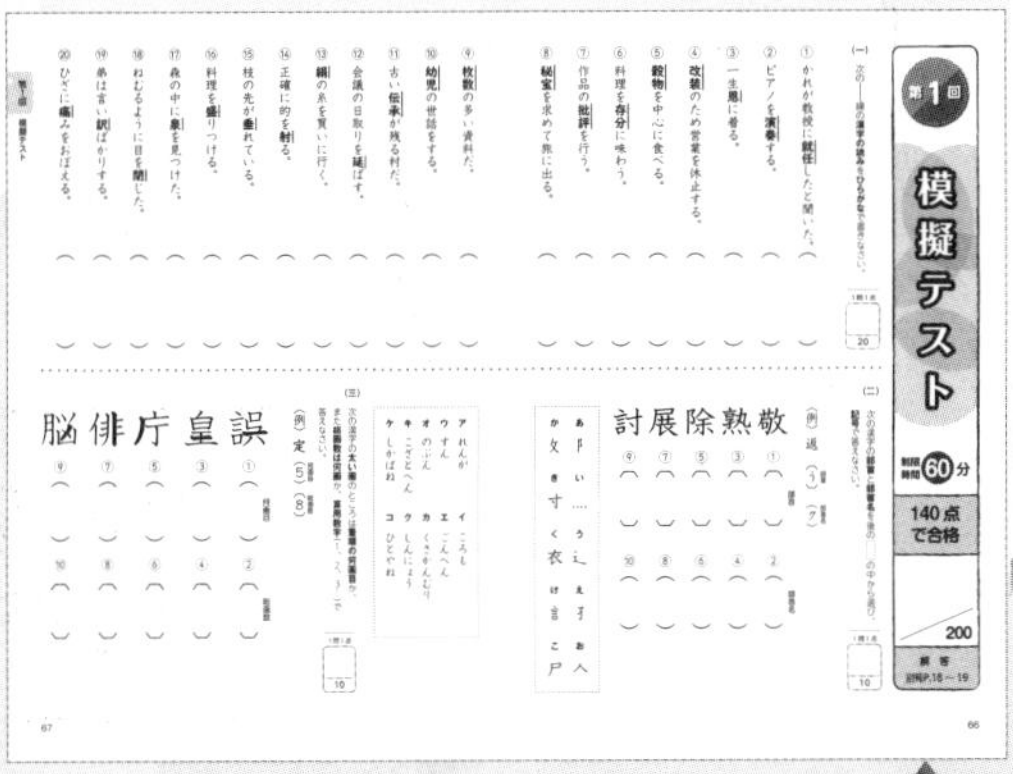

◀本試験型の模擬テスト

実際の試験と同じ形式の模擬テスト。

試験に慣れるつもりで、制限時間60分を計ってチャレンジしましょう。時間配分を考えて、見直しの時間をしっかり取るのがポイント。

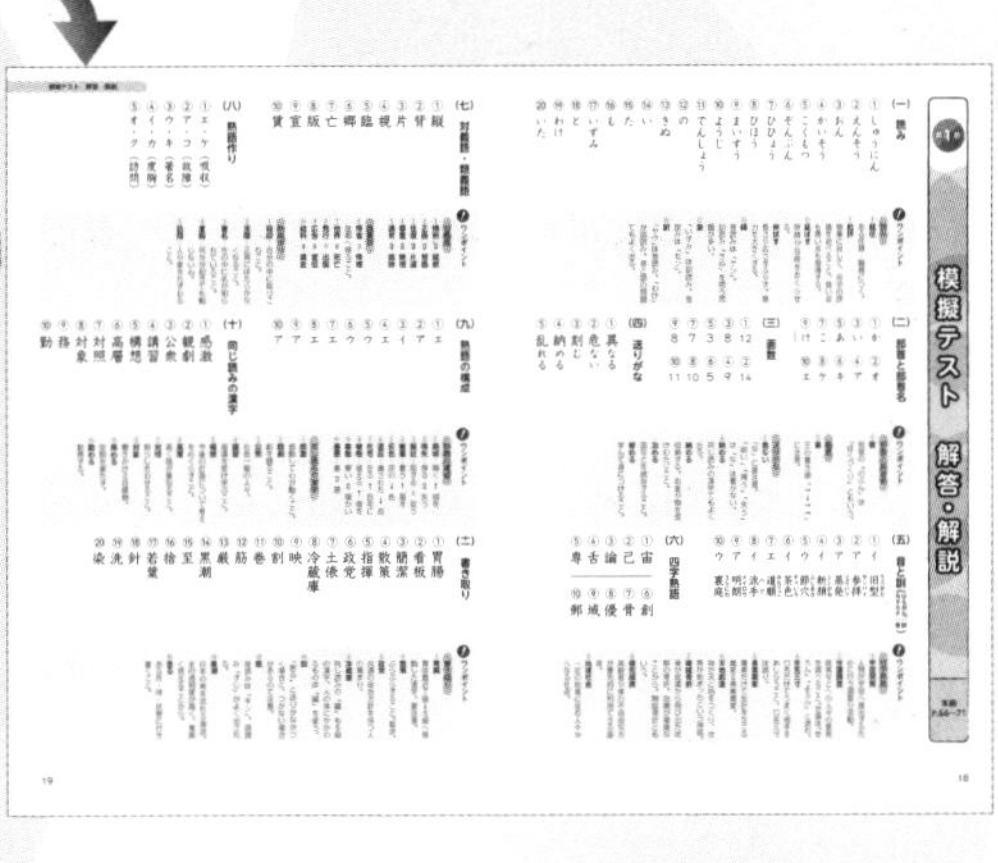

別冊解答で答え合わせ▶

合格ラインの70％（140点）に届いたか、チェック。届かなかった人は、弱点分野や時間配分を見直しましょう。プラス1点に役立つ解説つき。

第1回 模擬テスト

制限時間 60分

140点で合格

／200

解答 別冊P.18～19

(一) 次の――線の**漢字の読み**を**ひらがな**で書きなさい。

1問1点 ／20

① かれが教授に**就任**したと聞いた。（　　）
② ピアノを**演奏**する。（　　）
③ 一生**恩**に着る。（　　）
④ **改装**のため営業を休止する。（　　）
⑤ **穀物**を中心に食べる。（　　）
⑥ 料理を**存分**に味わう。（　　）
⑦ 作品の**批評**を行う。（　　）
⑧ **秘宝**を求めて旅に出る。（　　）

(二) 次の漢字の**部首**と**部首名**を後の［　］の中から選び、**記号**で答えなさい。

1問1点 ／10

〈例〉返 部首〔う〕 部首名〔ク〕

敬 ①（　　）部首 ②（　　）部首名
熟 ③（　　） ④（　　）
除 ⑤（　　） ⑥（　　）
展 ⑦（　　） ⑧（　　）
討 ⑨（　　） ⑩（　　）

あ 阝　い 灬　う 辶　え 子　お 人
か 攵　き 寸　く 衣　け 言　こ 尸

⑨ **枚数**の多い資料だ。（　　）
⑩ **幼児**の世話をする。（　　）
⑪ 古い**伝承**が残る村だ。（　　）
⑫ 会議の日取りを**延**ばす。（　　）
⑬ **絹**の糸を買いに行く。（　　）
⑭ 正確に的を**射**る。（　　）
⑮ 枝の先が**垂**れている。（　　）
⑯ 料理を**盛**りつける。（　　）
⑰ ひざに**痛**みをおぼえる。（　　）
⑱ ねむるように目を**閉**じた。（　　）
⑲ 弟は言い**訳**ばかりする。（　　）
⑳ むすぶより早歯にひびく**泉**かな（　　）

ア れんが　イ ころも
ウ すん　エ ごんべん
オ のぶん　カ くさかんむり
キ こざとへん　ク しんにょう
ケ しかばね　コ ひとやね

(三) 次の漢字の**太い画**のところは**筆順の何画目**か、また**総画数は何画**か、**算用数字**（1、2、3…）で答えなさい。

1問1点 ／10

〈例〉 定（5）何画目〔8〕総画数

	何画目	総画数
誤	①（　）	②〔　〕
皇	③（　）	④〔　〕
庁	⑤（　）	⑥〔　〕
俳	⑦（　）	⑧〔　〕
脳	⑨（　）	⑩〔　〕

（四）次の——線のカタカナの部分を**漢字一字**と**送りがな**（**ひらがな**）になおしなさい。

1問2点 ／10

〈例〉クラブのきまりを**サダメル**。（定める）

① 君とは意見が**コトナル**。（　　）
② **アブナイ**運転を注意する。（　　）
③ 言われたことを心に**キザム**。（　　）
④ 教室の月謝を**オサメル**。（　　）
⑤ 内戦で国が**ミダレル**。（　　）

（五）漢字の読みには**音**と**訓**があります。次の**熟語の読み**は[　]の中のどの組み合わせになっていますか。**ア**〜**エ**の**記号**で答えなさい。

1問2点 ／20

[**ア** 音と音　**イ** 音と訓　**ウ** 訓と訓　**エ** 訓と音]

① 旧型（　　）
② 参拝（　　）
③ 蒸発（　　）
④ 新顔（　　）
⑤ 節穴（　　）
⑥ 茶色（　　）
⑦ 道順（　　）
⑧ 派手（　　）
⑨ 明朗（　　）
⑩ 裏庭（　　）

（七）後の[　]の中のひらがなを漢字になおして、**対義語**（意味が反対や対《つい》になることば）と、**類義語**（意味がよく似たことば）を書きなさい。[　]の中のひらがなは**一度だけ**使い、**漢字一字**を書きなさい。

1問2点 ／20

対義語

① 横断—□断
② 正面—□面
③ 往復—□道
④ 尊重—無□
⑤ 通常—□時

類義語

⑥ 帰省—帰□
⑦ 他界—死□
⑧ 発行—出□
⑨ 広告—□伝
⑩ 給料—□金

[かた・きょう・し・じゅう・せん・ちん・はい・ぱん・ぼう・りん]

(六) 次の**カタカナ**を**漢字**になおし、**一字だけ**書きなさい。

1問2点 / 20

① 宇**チュウ**開発 (　　)
② 自**コ**負担 (　　)
③ 世**ロン**調査 (　　)
④ **シタ**先三寸 (　　)
⑤ **セン**業農家 (　　)
⑥ 天地**ソウ**造 (　　)
⑦ 複雑**コッ**折 (　　)
⑧ **ユウ**先座席 (　　)
⑨ 地**イキ**社会 (　　)
⑩ **ユウ**便料金 (　　)

(八) 後の□の中から漢字を選んで、次の意味にあてはまる**熟語**を作りなさい。答えは**記号**を書きなさい。

1問2点 / 10

〈例〉 本を読むこと。(読書) (シ・サ)

① 自分の中に取りこむこと。(　・　)
② 正常にはたらかなくなること。(　・　)
③ 世の中に知られていること。(　・　)
④ 何かが起きても動じない心。(　・　)
⑤ 人や家をたずねること。(　・　)

ア 故　**イ** 度　**ウ** 著　**エ** 吸
オ 訪　**カ** 胸　**キ** 名　**ク** 問
ケ 収　**コ** 障　**サ** 書　**シ** 読

（九）

漢字を二字組み合わせた熟語では、二つの漢字の間に意味の上で、次のような関係があります。

1問2点 ／20

ア　反対や対《つい》になる意味の字を組み合わせたもの。（例…**強弱**）
イ　同じような意味の字を組み合わせたもの。（例…**進行**）
ウ　上の字が下の字の意味を説明（修飾《しょく》）しているもの。（例…**国旗**）
エ　下の字から上の字へ返って読むと意味がよくわかるもの。（例…**消火**）

次の**熟語**は、右の**ア**～**エ**のどれにあたるか、**記号**で答えなさい。

①　築城（　　）
②　得失（　　）
③　服従（　　）
④　養蚕（　　）
⑤　灰色（　　）
⑥　遺品（　　）
⑦　在宅（　　）
⑧　植樹（　　）
⑨　寒暖（　　）
⑩　善悪（　　）

（十）

次の――線の**カタカナ**を**漢字**になおしなさい。

1問2点 ／40

①　かれは**イチョウ**が弱い。（　　）
②　**カンバン**を発注する。（　　）
③　発表は**カンケツ**にする。（　　）
④　近辺を**サンサク**した。（　　）
⑤　現場の**シキ**を任せる。（　　）
⑥　**セイトウ**の一員になる。（　　）
⑦　**ドヒョウ**に上がる。（　　）
⑧　古い**レイゾウコ**だ。（　　）
⑨　かがみに顔が**ウツ**る。（　　）

(十)

次の――線の**カタカナ**を**漢字**になおしなさい。

1問2点

20

① 心づかいに**カンゲキ**する。（　　）
② 母と**カンゲキ**に行く。（　　）
③ **コウシュウ**トイレをそうじする。（　　）
④ マナーの**コウシュウ**を受ける。（　　）
⑤ じっくり**コウソウ**を練る。（　　）
⑥ **コウソウ**マンションだ。（　　）
⑦ **タイショウ**的な表情だ。（　　）
⑧ 研究**タイショウ**とする。（　　）
⑨ 助言役を**ツト**める。（　　）
⑩ 市役所に**ツト**める。（　　）

⑩ **ワ**り切れない数字だ。（　　）
⑪ 手に包帯を**マ**く。（　　）
⑫ うでに**スジ**が出ている。（　　）
⑬ **キビ**しい態度をとる。（　　）
⑭ **クロシオ**の流れを学ぶ。（　　）
⑮ 無の境地に**イタ**る。（　　）
⑯ 湖面が赤く**ソ**まる。（　　）
⑰ **ワカバ**がとても青い。（　　）
⑱ 手に**ハリ**がささる。（　　）
⑲ よごれた手を**アラ**う。（　　）
⑳ 名を**ス**てて実を取る（　　）

第2回

模擬テスト

制限時間 60分

140点で合格

/200

解答 別冊P.20～21

（一）次の――線の**漢字の読み**を**ひらがな**で書きなさい。

1問1点 /20

① 三日坊主《ぼうず》の友人に**忠告**する。（　　）
② **明朗**な政治が理想だ。（　　）
③ ある国が軍備を**拡張**する。（　　）
④ 電気**系統**を検査する。（　　）
⑤ 今から**将来**を考える。（　　）
⑥ 気温の**推移**を調べる。（　　）
⑦ **尊重**し合える関係だ。（　　）
⑧ **通訳**を仕事にする。（　　）

（二）次の漢字の**部首**と**部首名**を後の［　］の中から選び、**記号**で答えなさい。

1問1点 /10

〈例〉返　部首〈う〉　部首名（ク）

	部首	部首名
域	①〔　〕	②（　）
著	③〔　〕	④（　）
庁	⑤〔　〕	⑥（　）
層	⑦〔　〕	⑧（　）
模	⑨〔　〕	⑩（　）

あ 木　い 广　う 辶　え 大　お 艹
か 戈　き 亅　く 曰　け 尸　こ 土

⑨ **幼虫**から大事に育てる。（　　）
⑩ **観衆**の一人になる。（　　）
⑪ 地面に大きな**穴**が開く。（　　）
⑫ かれは**骨**のある男だ。（　　）
⑬ 紙を丸めて**捨**てる。（　　）
⑭ **潮**が引いていく。（　　）
⑮ 足りない説明を**補**う。（　　）
⑯ 考えが**至**らなかった。（　　）
⑰ **宝**に目がくらんだ。（　　）
⑱ 持ち物を家に**忘**れた。（　　）
⑲ 育ててくれた親を**敬**う。（　　）
⑳ 青空に指で字を書く秋の**暮**れ（　　）

ア まだれ　イ つちへん
ウ はねぼう　エ しかばね
オ だい　カ きへん
キ ひらび　ク しんにょう
ケ ほこづくり　コ くさかんむり

（三）次の漢字の**太い画**のところは**筆順の何画目**か、また**総画数は何画**か、**算用数字**（1、2、3…）で答えなさい。

〈例〉定（5）何画目（8）総画数

1問1点　/10

	何画目	総画数
閣	①（　）	②（　）
貴	③（　）	④（　）
考	⑤（　）	⑥（　）
従	⑦（　）	⑧（　）
陛	⑨（　）	⑩（　）

(四) 次の——線の**カタカナ**の部分を**漢字一字**と**送りがな**（**ひらがな**）になおしなさい。

1問2点 ／10

〈例〉クラブのきまりを**サダメル**。（定める）

① 小屋の前でまきを**ワル**。（　　）

② 温度差が**ハゲシイ**。（　　）

③ 大事なセーターが**チヂム**。（　　）

④ かみの毛を金色に**ソメル**。（　　）

⑤ **ワカサ**あふれるプレイだ。（　　）

(五) 漢字の読みには**音**と**訓**があります。次の**熟語の読み**は[　]の中のどの組み合わせになっていますか。**ア**〜**エ**の**記号**で答えなさい。

1問2点 ／20

ア 音と音　**イ** 音と訓　**ウ** 訓と訓　**エ** 訓と音

① 巻紙（　　）

② 絹製（　　）

③ 口紅（　　）

④ 縦糸（　　）

⑤ 諸国（　　）

⑥ 生傷（　　）

⑦ 味方（　　）

⑧ 手順（　　）

⑨ 登頂（　　）

⑩ 預金（　　）

(七) 後の[　]の中のひらがなを漢字になおして、**対義語**（意味が反対や対《つい》になることば）と、**類義語**（意味がよく似たことば）を書きなさい。[　]の中のひらがなは**一度だけ**使い、**漢字一字**を書きなさい。

1問2点 ／20

対義語

① 否決—□決

② 保守—□新

③ 快楽—苦□

④ 応答—質□

⑤ 借用—返□

類義語

⑥ 処理—□末

⑦ 時間—時□

⑧ 設立—□立

⑨ 次週—□週

⑩ 方法—手□

か・かく・ぎ・こく・さい・し・そう・だん・つう・よく

(六)

次の**カタカナ**を**漢字**になおし、**一字だけ**書きなさい。

1問2点 ／20

① 完全無**ケツ**（　　）

② 自**キュウ**自足（　　）

③ 宇**チュウ**飛行（　　）

④ 方位**ジ**石（　　）

⑤ 雑**シ**広告（　　）

⑥ 議**ロン**百出（　　）

⑦ 玉石**コン**交（　　）

⑧ 安全保**ショウ**（　　）

⑨ 絶**タイ**絶命（　　）

⑩ 無**セン**飲食（　　）

(八)

後の［　］の中から漢字を選んで、次の意味にあてはまる**熟語**を作りなさい。答えは**記号**を書きなさい。

1問2点 ／10

〈例〉本を読むこと。（読書）（シ・サ）

① 生まれ育った場所。ふるさと。（　・　）

② 家にいること。（　・　）

③ 自分の名を記すこと。（　・　）

④ まじっていないこと。（　・　）

⑤ 一生の終わりごろ。（　・　）

ア 郷	**イ** 晩	**ウ** 単	**エ** 署
オ 在	**カ** 宅	**キ** 名	**ク** 純
ケ 年	**コ** 里	**サ** 書	**シ** 読

(九)

漢字を二字組み合わせた熟語では、二つの漢字の間に意味の上で、次のような関係があります。

1問2点 / 20

ア 反対や対《つい》になる意味の字を組み合わせたもの。（例…**強弱**）
イ 同じような意味の字を組み合わせたもの。（例…**進行**）
ウ 上の字が下の字の意味を説明（修飾《しょく》）しているもの。（例…**国旗**）
エ 下の字から上の字へ返って読むと意味がよくわかるもの。（例…**消火**）

次の**熟語**は、右の**ア**～**エ**のどれにあたるか、**記号**で答えなさい。

① 悲劇（　）
② 歌詞（　）
③ 看病（　）
④ 胸中（　）
⑤ 自己（　）
⑥ 難易（　）
⑦ 善意（　）
⑧ 拝顔（　）
⑨ 価値（　）
⑩ 常備（　）

(十)

次の――線の**カタカナ**を**漢字**になおしなさい。

1問2点 / 40

① EUに**カメイ**した。（　）
② **シカイ**がかすんでいる。（　）
③ 和食を**センモン**に作る。（　）
④ ピカソの絵を**テンジ**する。（　）
⑤ **ヒヒョウ**ばかりしている。（　）
⑥ **ヒミツ**をばらさない。（　）
⑦ **エンガン**の様子を見る。（　）
⑧ 部長に**シュウニン**する。（　）
⑨ **シゲン**には限りがある。（　）

(十) 次の——線の**カタカナ**を**漢字**になおしなさい。

1問2点

20

① **テンコウ**にめぐまれる。（　　）
② 友人が**テンコウ**する。（　　）
③ **テントウ**で列に並ぶ。（　　）
④ ランプを**テントウ**する。（　　）
⑤ ノートに文章を**ウツ**す。（　　）
⑥ かがみに姿を**ウツ**す。（　　）
⑦ 学問を**オサ**める。（　　）
⑧ 税金を**オサ**める。（　　）
⑨ 父の**ハラ**は出ている。（　　）
⑩ 広い**ハラ**っぱに行く。（　　）

⑩ ある**ソウチ**を作る。（　　）
⑪ かれと好みが**コト**なる。（　　）
⑫ カキを外で**ホ**す。（　　）
⑬ **ツクエ**で書きものをする。（　　）
⑭ 教員として**ツト**める。（　　）
⑮ **マド**のガラスをみがく。（　　）
⑯ 的を**イ**た答えだ。（　　）
⑰ 工場で不良品を**ノゾ**く。（　　）
⑱ **モ**り合わせを注文する。（　　）
⑲ **イズミ**の女神に会う。（　　）
⑳ 弘法《こうぼう》にも筆の**アヤマ**り（　　）

第2回 模擬テスト

第3回 模擬テスト

制限時間 60分

140点で合格

200

解答 別冊P.22〜23

(一) 次の——線の**漢字の読み**を**ひらがな**で書きなさい。

1問1点　20

① 内部に**鉄筋**を入れた構造だ。（　　）
② **故障**したところを直す。（　　）
③ 人気が**絶頂**に達した。（　　）
④ **太陽系**はあまりに広い。（　　）
⑤ **俳句**の勉強会をする。（　　）
⑥ パソコンに資料を**保存**する。（　　）
⑦ 池の水が**蒸発**した。（　　）
⑧ 一点差で**優勝**した。（　　）

(二) 次の漢字の**部首**と**部首名**を後の□の中から選び、**記号**で答えなさい。

1問1点　10

〈例〉返　部首〔う〕　部首名〔ク〕

	部首	部首名
盟	①（　）	②（　）
腹	③（　）	④（　）
閣	⑤（　）	⑥（　）
誠	⑦（　）	⑧（　）
潮	⑨（　）	⑩（　）

あ 戈　い 月　う 辶　え 口　お 氵
か 日　き 門　く 言　け 皿　こ 夂

⑨ **純真**な気持ちをわすれない。（　　）

⑩ 教科書の詩を**朗読**する。（　　）

⑪ **銭湯**でつかれをいやす。（　　）

⑫ ほっと**胸**をなで下ろす。（　　）

⑬ **異**なる味を食べ比べる。（　　）

⑭ 会社の**株**が上がった。（　　）

⑮ **激**しい戦いになる。（　　）

⑯ **誤**った答えを出す。（　　）

⑰ 先生に**従**って行動する。（　　）

⑱ 元気の**源**になる食べ物だ。（　　）

⑲ おにぎりにのりを**巻**く。（　　）

⑳ 夏山の**洗**ったような日の出かな（　　）

第3回 模擬テスト

ア にくづき　**イ** くち

ウ ひへん　**エ** ほこづくり

オ もんがまえ　**カ** さんずい

キ ごんべん　**ク** しんにょう

ケ すいにょう　**コ** さら

(三) 次の漢字の**太い画**のところは**筆順の何画目**か、また**総画数は何画**か、**算用数字**（1、2、3…）で答えなさい。

1問1点　／10

〈例〉 定〔5〕何画目 〔8〕総画数

	何画目	総画数
訳	①（　）	②（　）
裁	③（　）	④（　）
訪	⑤（　）	⑥（　）
郷	⑦（　）	⑧（　）
革	⑨（　）	⑩（　）

（四）次の──線の**カタカナ**の部分を**漢字一字**と**送りがな（ひらがな）**になおしなさい。

1問2点　／10

〈例〉クラブのきまりを**サダメル**。（定める）

① 祖父母を**ウヤマウ**。（　）
② ゴミをまとめて**ステル**。（　）
③ 資料を机に**ナラベル**。（　）
④ **ワスレ**ないよう書きとめる。（　）
⑤ **ムズカシイ**話をした。（　）

（五）漢字の読みには**音**と**訓**があります。次の**熟語の読み**は□の中のどの組み合わせになっていますか。**ア**～**エ**の**記号**で答えなさい。

1問2点　／20

ア 音と音　**イ** 音と訓　**ウ** 訓と訓　**エ** 訓と音

① 割引（　）
② 絹糸（　）
③ 砂地（　）
④ 仕事（　）
⑤ 茶柱（　）
⑥ 片道（　）
⑦ 針金（　）
⑧ 疑問（　）
⑨ 官庁（　）
⑩ 石段（　）

（七）後の□の中のひらがなを漢字になおして、**対義語**（意味が反対や対《つい》になることば）と、**類義語**（意味がよく似たことば）を書きなさい。□の中のひらがなは**一度だけ**使い、**漢字一字**を書きなさい。

1問2点　／20

対義語

① 無視─□重
② 寒流─□流
③ 実物─□型
④ 拡大─□小
⑤ 横断─□断

類義語

⑥ 討議─議□
⑦ 進歩─発□
⑧ 分野─領□
⑨ 指図─指□
⑩ 設立─□設

いき・き・じゅう・しゅく・そう・そん・だん・てん・も・ろん

（六）

次の**カタカナ**を**漢字**になおし、**一字だけ**書きなさい。

1問2点 ／20

①円形**ゲキ**場（　　）
②学習意**ヨク**（　　）
③**キン**務時間（　　）
④口**ショウ**文学（　　）
⑤**ショ**名運動（　　）
⑥大器**バン**成（　　）
⑦仮設住**タク**（　　）
⑧精**ミツ**検査（　　）
⑨公**シュウ**電話（　　）
⑩**ケン**利行使（　　）

（八）

後の［　］の中から漢字を選んで、次の意味にあてはまる**熟語**を作りなさい。答えは**記号**を書きなさい。

1問2点 ／10

〈例〉本を読むこと。（読書）（シ・サ）

①人のおこないの基準、決まり。（　・　）
②気持ちが高ぶること。（　・　）
③特定のことに集中すること。（　・　）
④真心をこめてつとめるさま。（　・　）
⑤作品を書いた人。（　・　）

ア 著	イ 規	ウ 忠	エ 専
オ 興	カ 律	キ 者	ク 念
ケ 奮	コ 実	サ 書	シ 読

(九)

漢字を二字組み合わせた熟語では、二つの漢字の間に意味の上で、次のような関係があります。

1問2点

/20

ア 反対や対《つい》になる意味の字を組み合わせたもの。（例…**強弱**）

イ 同じような意味の字を組み合わせたもの。（例…**進行**）

ウ 上の字が下の字の意味を説明（修飾《しょく》）しているもの。（例…**国旗**）

エ 下の字から上の字へ返って読むと意味がよくわかるもの。（例…**消火**）

次の**熟語**は、右の**ア**～**エ**のどれにあたるか、**記号**で答えなさい。

① 納入（　）

② 映写（　）

③ 国宝（　）

④ 城主（　）

⑤ 安危（　）

⑥ 就職（　）

⑦ 除草（　）

⑧ 翌年（　）

⑨ 開幕（　）

⑩ 損益（　）

(十)

次の――線の**カタカナ**を**漢字**になおしなさい。

1問2点

/40

① いたずらは**ゲンキン**だ。（　）

② **スンゼン**で止まる。（　）

③ じっくり**タイサク**を練る。（　）

④ **ニュウシ**がぬけて生えかわる。（　）

⑤ 事件の**ハイケイ**を知らない。（　）

⑥ **ハン**別に発表する。（　）

⑦ **ヨキン**を引き出す。（　）

⑧ **オンセン**地めぐりを好む。（　）

⑨ **タイソウ**選手になる。（　）

（十）次の——線の**カタカナ**を**漢字**になおしなさい。

1問2点　／20

① **カイセイ**の予報だ。（　　）
② 制度を**カイセイ**する。（　　）

③ 小説が**カンケツ**する。（　　）
④ **カンケツ**に話をする。（　　）

⑤ 失敗して**ジシン**をなくした。（　　）
⑥ **ジシン**の発言をかえりみる。（　　）

⑦ **セイヨウ**の国を回る。（　　）
⑧ 田舎で**セイヨウ**する。（　　）

⑨ 団子を神様に**ソナ**える。（　　）
⑩ 災害に**ソナ**える。（　　）

⑩ 鏡に**ハンシャ**する。（　　）
⑪ 海**ゾ**いの街を歩く。（　　）
⑫ タバコの**ハイ**が落ちる。（　　）
⑬ 手を合わせて**オガ**む。（　　）
⑭ **ワタシ**が答えよう。（　　）
⑮ **ワカ**くして成功する。（　　）
⑯ ヤナギの枝が**タ**れる。（　　）
⑰ なべのふたを**ト**じた。（　　）
⑱ **オサナ**い子どもたちだ。（　　）
⑲ 古い皿に**ネ**がつく。（　　）
⑳ **ホネ**折り損のくたびれもうけ（　　）

第4回 模擬テスト

制限時間 60分

140点で合格

/200

解答 別冊P.24～25

(一) 次の――線の**漢字の読み**を**ひらがな**で書きなさい。

1問1点 /20

① 落札した作品を**展示**する。（　　）
② 入場**券**を買う。（　　）
③ 上空から**流域**を見下ろす。（　　）
④ 世界**遺産**をおとずれる。（　　）
⑤ **著名**な人物と会う。（　　）
⑥ 会社を**創立**して五年になる。（　　）
⑦ **視界**が開けてきた。（　　）
⑧ 何年かぶりに**郷里**に帰る。（　　）

(二) 次の漢字の**部首**と**部首名**を後の[　]の中から選び、**記号**で答えなさい。

1問1点 /10

〈例〉返 部首〔う〕 部首名〔ク〕

漢字	部首	部首名
簡	①〔　〕	②〔　〕
推	③〔　〕	④〔　〕
署	⑤〔　〕	⑥〔　〕
認	⑦〔　〕	⑧〔　〕
宝	⑨〔　〕	⑩〔　〕

あ 罒　い 玉　う 辶　え 扌　お ⺮
か 日　き 宀　く 言　け 心　こ 隹

⑨ **衆議院**で答弁が行われる。（　　）
⑩ **負傷**した足をかばう。（　　）
⑪ **片足**をひきずって歩く。（　　）
⑫ **絵巻物**の書かれた時代をたずねる。（　　）
⑬ 祖父の酒のお**供**をする。（　　）
⑭ 時計が時間を**刻**む。（　　）
⑮ お茶で**舌**をやけどする。（　　）
⑯ 空がオレンジ色に**染**まる。（　　）
⑰ きれいな空気を**吸**う。（　　）
⑱ 親からの荷物が**届**く。（　　）
⑲ かれは**背**が高い。（　　）
⑳ 梅一輪一輪ほどの**暖**かさ（　　）

ア　たま	ウ　あみがしら	オ　たけかんむり	キ　ごんべん	ケ　うかんむり
イ　こころ	エ　ふるとり	カ　ひ	ク　しんにょう	コ　てへん

（三）次の漢字の**太い画**のところは**筆順の何画目**か、また**総画数は何画**か、**算用数字**（1、2、3…）で答えなさい。

〈例〉定（5）何画目　〔8〕総画数

1問1点　／10

	何画目	総画数
呼	①（　）	②〔　〕
骨	③（　）	④〔　〕
臨	⑤（　）	⑥〔　〕
探	⑦（　）	⑧〔　〕
批	⑨（　）	⑩〔　〕

(四) 次の――線の**カタカナ**の部分を**漢字一字**と**送りがな（ひらがな）**になおしなさい。

1問2点　/10

〈例〉クラブのきまりを**サダメル**。（定める）

① 知人に伝わると**コマル**。（　　）

② 不良品を**ノゾク**作業をする。（　　）

③ 海から出る太陽を**オガム**。（　　）

④ 事件を**サバク**。（　　）

⑤ 途《と》方に**クレル**。（　　）

(五) 漢字の読みには**音**と**訓**があります。次の**熟語の読み**は□の中のどの組み合わせになっていますか。**ア〜エ**の**記号**で答えなさい。

1問2点　/20

ア 音と音　**イ** 音と訓　**ウ** 訓と訓　**エ** 訓と音

① 王様（　　）

② 若気（　　）

③ 潮風（　　）

④ 補助（　　）

⑤ 灰皿（　　）

⑥ 拡張（　　）

⑦ 誤答（　　）

⑧ 座高（　　）

⑨ 訪問（　　）

⑩ 裏地（　　）

(七) 後の□の中のひらがなを漢字になおして、**対義語**（意味が反対や対《つい》になることば）と、**類義語**（意味がよく似たことば）を書きなさい。□の中のひらがなは**一度だけ**使い、**漢字一字**を書きなさい。

1問2点　/20

対義語

① 義務―□利

② 支出―□入

③ 水平―□直

④ 死亡―生□

⑤ 未熟―□熟

類義語

⑥ 未来―□来

⑦ 家屋―住□

⑧ 改良―改□

⑨ 直前―□前

⑩ 始末―□理

けん・しゅう・しょ・しょう・すい・すん・せい・ぜん・ぞん・たく

(六)

次の**カタカナ**を**漢字**になおし、**一字だけ**書きなさい。

1問2点

20

① 開会**セン**言（　　）
② 一**キョ**両得（　　）
③ 技術**カク**新（　　）
④ 親**ゼン**試合（　　）
⑤ 時間**ゲン**守（　　）
⑥ 書留**ユウ**便（　　）
⑦ **タン**刀直入（　　）
⑧ 天下無**テキ**（　　）
⑨ 災害対**サク**（　　）
⑩ 天変地**イ**（　　）

(八)

後の□の中から漢字を選んで、次の意味にあてはまる**熟語**を作りなさい。答えは**記号**を書きなさい。

1問2点

10

〈例〉本を読むこと。（読書）（シ・サ）

① 産業のもとになるもの。（　・　）
② 機械を動かすこと。（　・　）
③ 大切なものとして重んじること。（　・　）
④ 言動や物事を打ち消すこと。（　・　）
⑤ 何かをほしいと思うこと。（　・　）

ア 尊	**イ** 欲	**ウ** 操	**エ** 資
オ 否	**カ** 望	**キ** 定	**ク** 重
ケ 縦	**コ** 源	**サ** 書	**シ** 読

第4回 模擬テスト

(九) 漢字を二字組み合わせた熟語では、二つの漢字の間に意味の上で、次のような関係があります。

1問2点 /20

ア 反対や対《つい》になる意味の字を組み合わせたもの。（例…**強弱**）
イ 同じような意味の字を組み合わせたもの。（例…**進行**）
ウ 上の字が下の字の意味を説明（修飾《しゅうしょく》）しているもの。（例…**国旗**）
エ 下の字から上の字へ返って読むと意味がよくわかるもの。（例…**消火**）

次の**熟語**は、右の**ア**～**エ**のどれにあたるか、**記号**で答えなさい。

① 登頂（　　）
② 取捨（　　）
③ 破損（　　）
④ 窓辺（　　）
⑤ 半熟（　　）
⑥ 幼児（　　）
⑦ 立腹（　　）
⑧ 紅白（　　）
⑨ 観劇（　　）
⑩ 翌週（　　）

(十) 次の――線の**カタカナ**を**漢字**になおしなさい。

1問2点 /40

① **キケン**と向き合う。（　　）
② **キョウイ**を測る。（　　）
③ 理**ケイ**の学部だ。（　　）
④ **コンバン**会いましょう。（　　）
⑤ 本を一**サツ**落とす。（　　）
⑥ **センヨウ**のグローブだ。（　　）
⑦ **タンニン**の教師がいる。（　　）
⑧ 新しい命が**タンジョウ**した。（　　）
⑨ **トウロン**が決着する。（　　）

（十）

次の――線のカタカナを漢字になおしなさい。

1問2点　/20

① キンゾク年数が長い。（　　）
② キンゾクを加工する。（　　）

③ 方位ジシンを持ち歩く。（　　）
④ わたしがジシンで行った。（　　）

⑤ 魚雷《らい》をハッシャする。（　　）
⑥ バスがハッシャする。（　　）

⑦ 植物がネを張る。（　　）
⑧ 高いネをつける。（　　）

⑨ 旅のトモに持ち歩く。（　　）
⑩ トモに歩んでいく。（　　）

⑩ 名作をロウドクした。（　　）
⑪ 大きなモケイを見学する。（　　）
⑫ エイゾウ作品を公表する。（　　）
⑬ チョゾウした食べ物がある。（　　）
⑭ 生活がミダれる。（　　）
⑮ ハゲしい戦いがつづく。（　　）
⑯ かれはその計画からオりた。（　　）
⑰ 寒くて体をチヂめる。（　　）
⑱ 税をオサめる。（　　）
⑲ ナミはずれた実力だ。（　　）
⑳ 七度《たび》たずねて人をウタガえ（　　）

第5回

模擬テスト

制限時間 60分

140点で合格

/200

解答 別冊P.26～27

(一) 次の――線の**漢字の読み**を**ひらがな**で書きなさい。

1問1点 /20

① 電気で**装置**をうごかす。（　　）
② 会議で**否決**される。（　　）
③ 活発に**討論**する。（　　）
④ 当てもなく**沿道**を歩く。（　　）
⑤ 旅先で**散策**する。（　　）
⑥ **縮尺**が不自然な図形だ。（　　）
⑦ **諸国**の実情を知る。（　　）
⑧ パソコンを**操作**する。（　　）

(二) 次の漢字の**部首**と**部首名**を後の［　］の中から選び、**記号**で答えなさい。

1問1点 /10

〈例〉返〈う〉部首〈ク〉部首名

勤 部首 ①（　） 部首名 ②（　）
宣 部首 ③（　） 部首名 ④（　）
誕 部首 ⑤（　） 部首名 ⑥（　）
覧 部首 ⑦（　） 部首名 ⑧（　）
我 部首 ⑨（　） 部首名 ⑩（　）

あ 見　い 臣　う 辶　え 艹　お 宀
か 力　き 言　く 廴　け 戈　こ 日

⑨ 多くの国を**歴訪**する。（　　）

⑩ ようやく**幕**が開く。（　　）

⑪ **窓**から景色を見る。（　　）

⑫ 街**並**を歩く。（　　）

⑬ スライドに絵を**映**す。（　　）

⑭ 代金をみんなで**割**る。（　　）

⑮ 大声で助けを**呼**ぶ。（　　）

⑯ **砂場**にスコップがある。（　　）

⑰ それはもう**済**んだ話だ。（　　）

⑱ かれは**善**いことをした。（　　）

⑲ **尊**い命が失われる。（　　）

⑳ 限りなく**降**る雪何をもたらすや（　　）

ア ほこづくり　イ ちから
ウ みる　エ ごんべん
オ うかんむり　カ えんにょう
キ ひ　ク しんにょう
ケ くさかんむり　コ しん

(三) 次の漢字の**太い画**のところは**筆順の何画目**か、また**総画数は何画**か、**算用数字**（1、2、3…）で答えなさい。

〈例〉 定（5）何画目　（8）総画数

1問1点　／10

	何画目	総画数
純	①（　　）	②（　　）
処	③（　　）	④（　　）
郵	⑤（　　）	⑥（　　）
后	⑦（　　）	⑧（　　）
蒸	⑨（　　）	⑩（　　）

(四)

次の——線の**カタカナ**の部分を**漢字一字と送りがな（ひらがな）**になおしなさい。

1問2点　／10

〈例〉クラブのきまりを**サダメル**。（定める）

① **イタル**所に落ちている。（　　）

② 父は**キビシイ**性格だ。（　　）

③ うたたねしてよだれが**タレル**。（　　）

④ 神だなに白米を**ソナエル**。（　　）

⑤ かれの考えは**オサナイ**。（　　）

(五)

漢字の読みには**音**と**訓**があります。次の**熟語の読み**は□の中のどの組み合わせになっていますか。**ア〜エ**の**記号**で答えなさい。

1問2点　／20

ア 音と音　**イ** 音と訓　**ウ** 訓と訓　**エ** 訓と音

① 土手（　　）

② 布地（　　）

③ 格安（　　）

④ 危険（　　）

⑤ 晩飯（　　）

⑥ 巻物（　　）

⑦ 看護（　　）

⑧ 台所（　　）

⑨ 筋金（　　）

⑩ 針箱（　　）

(七)

後の□の中のひらがなを漢字になおして、**対義語**（意味が反対や対《つい》になることば）と、**類義語**（意味がよく似たことば）を書きなさい。□の中のひらがなは**一度だけ**使い、**漢字一字**を書きなさい。

1問2点　／20

対義語

① 正常—□常

② 整理—散□

③ 公立—□立

④ 辞任—□任

⑤ 横長—□長

類義語

⑥ 注視—観□

⑦ 改善—改□

⑧ 容易—□単

⑨ 快活—明□

⑩ 自分—自□

い・かく・かん・こ・さつ・し・しゅう・たて・らん・ろう

(六) 次の**カタカナ**を**漢字**になおし、**一字だけ**書きなさい。

1問2点

/20

① 雑**シ**広告（　　）
② 公**シュウ**衛生（　　）
③ 気管**キュウ**引（　　）
④ 心**キ**一転（　　）
⑤ 医食同**ゲン**（　　）
⑥ 通学区**イキ**（　　）
⑦ 定期**ヨ**金（　　）
⑧ 人体**モ**型（　　）
⑨ **ホ**足説明（　　）
⑩ 十二指**チョウ**（　　）

(八) 後の□の中から漢字を選んで、次の意味にあてはまる**熟語**を作りなさい。答えは**記号**を書きなさい。

1問2点

/10

〈例〉 本を読むこと。（読書）（シ・サ）

① まちがった知らせ。（　・　）
② 山の上にのぼること。（　・　）
③ 光などがはねかえること。（　・　）
④ 大事にしまっておくこと。（　・　）
⑤ まだおさめていないこと。（　・　）

ア 誤　**イ** 登　**ウ** 秘　**エ** 未
オ 反　**カ** 射　**キ** 蔵　**ク** 報
ケ 納　**コ** 頂　**サ** 書　**シ** 読

(九) 漢字を二字組み合わせた熟語では、二つの漢字の間に意味の上で、次のような関係があります。

1問2点 ／20

ア 反対や対《つい》になる意味の字を組み合わせたもの。（例：**強弱**）
イ 同じような意味の字を組み合わせたもの。（例：**進行**）
ウ 上の字が下の字の意味を説明（修飾《しょく》）しているもの。（例：**国旗**）
エ 下の字から上の字へ返って読むと意味がよくわかるもの。（例：**消火**）

次の**熟語**は、右の**ア**〜**エ**のどれにあたるか、**記号**で答えなさい。

① 樹木（　）
② 除去（　）
③ 温泉（　）
④ 干満（　）
⑤ 疑念（　）
⑥ 若者（　）
⑦ 存在（　）
⑧ 洗面（　）
⑨ 潮風（　）
⑩ 特権（　）

(十) 次の――線の**カタカナ**を**漢字**になおしなさい。

1問2点 ／40

① **ハイク**の名人がいる。（　）
② **イサン**を相続する。（　）
③ **シンコク**な表情だ。（　）
④ ピアノの**ドクソウ**を聞いた。（　）
⑤ その話に全員が**カンゲキ**した。（　）
⑥ **オンジン**に心からお礼をする。（　）
⑦ **コウフン**が会場を包む。（　）
⑧ **ボウ**で地面をつつく。（　）
⑨ **カチ**を判断する。（　）

(十)

次の——線の**カタカナ**を**漢字**になおしなさい。

1問2点

/20

① 職員が役場に**キチョウ**した。（　）
② **キチョウ**な体験だ。（　）

③ 茶会が**チュウシ**になる。（　）
④ 行く末を**チュウシ**する。（　）

⑤ 作品を**テンジ**する。（　）
⑥ **テンジ**の読み方を学ぶ。（　）

⑦ 常備**ヤク**をそろえる。（　）
⑧ 日本語の**ヤク**を読む。（　）

⑨ **ユウリョウ**な商品だ。（　）
⑩ **ユウリョウ**の道路だ。（　）

⑩ 学校が**ソウセツ**される。（　）
⑪ **セイザ**をして足がしびれる。（　）
⑫ かれは**ヨク**のない人だ。（　）
⑬ 文化祭の**ゲキ**の練習をした。（　）
⑭ 早めに**ウゴ**いていく。（　）
⑮ 正しく人を**サバ**く。（　）
⑯ かすり**キズ**一つない。（　）
⑰ 子犬が**チチ**を飲む。（　）
⑱ **ウラニワ**で走り回る。（　）
⑲ シルクとは**キヌ**のことだ。（　）
⑳ 正直は一生の**タカラ**（　）

第6回 模擬テスト

制限時間 60分

140点で合格

/200

解答 別冊P.28～29

(一) 次の――線の**漢字の読み**を**ひらがな**で書きなさい。

1問1点 /20

① 気持ちが**混乱**している。（　　）

② 全集に作品を**収録**する。（　　）

③ **高層**マンションに住む。（　　）

④ きれいな**映像**を見る。（　　）

⑤ 好きな**仏閣**を見学する。（　　）

⑥ 自身の**権利**を主張する。（　　）

⑦ 車の**模型**を大事にする。（　　）

⑧ 母は**養蚕**を営んでいる。（　　）

(二) 次の漢字の**部首**と**部首名**を後の□の中から選び、**記号**で答えなさい。

1問1点 /10

〈例〉 返 部首〔う〕 部首名（ク）

	頂	座	宙	脳	冊
部首	①〔　〕	③〔　〕	⑤〔　〕	⑦〔　〕	⑨〔　〕
部首名	②（　）	④（　）	⑥（　）	⑧（　）	⑩（　）

あ 广　い 凵　う 辶　え 冂　お 土

か 一　き 田　く 月　け 宀　こ 頁

⑨ 虫に**樹液**を飲ませる。（　　）
⑩ 相手の実力を**認**める。（　　）
⑪ 都会の店に**勤**めている。（　　）
⑫ 洗たく物を**干**す。（　　）
⑬ 真実かどうかを**疑**った。（　　）
⑭ わるいことをして**裁**かれる。（　　）
⑮ 庭に生えている雑草を**除**く。（　　）
⑯ 戦場から**退**く。（　　）
⑰ 注文された品を**納**める。（　　）
⑱ 近くのお寺を**訪**ねる。（　　）
⑲ **幼**い子と出かける。（　　）
⑳ 初雪や**机**の上にひとにぎり（　　）

ア どうがまえ　**イ** うけばこ
ウ つち　**エ** いち
オ うかんむり　**カ** た
キ まだれ　**ク** しんにょう
ケ おおがい　**コ** にくづき

(三) 次の漢字の**太い画**のところは**筆順の何画目**か、また**総画数は何画**か、**算用数字**（1、2、3…）で答えなさい。

〈例〉**定**（5）何画目（8）総画数

1問1点　／10

	何画目	総画数
灰	①（　　）	②（　　）
系	③（　　）	④（　　）
我	⑤（　　）	⑥（　　）
否	⑦（　　）	⑧（　　）
片	⑨（　　）	⑩（　　）

（四）　次の——線の**カタカナ**の部分を**漢字一字**と**送りがな**（**ひらがな**）になおしなさい。

1問2点　／10

〈例〉クラブのきまりを**サダメル**。（定める）

① メールをおくれば**スム**ことだ。（　　）

② やむを得ず**シタガウ**。（　　）

③ 首に**イタミ**を覚える。（　　）

④ あと少しで**トドカナイ**。（　　）

⑤ 今日はこれで店を**シメル**。（　　）

（五）　漢字の読みには**音**と**訓**があります。次の**熟語の読み**は□の中のどの組み合わせになっていますか。**ア〜エ**の**記号**で答えなさい。

1問2点　／20

ア　音と音　**イ**　音と訓　**ウ**　訓と訓　**エ**　訓と音

① 軍手（　　）

② 窓口（　　）

③ 温泉（　　）

④ 試合（　　）

⑤ 若葉（　　）

⑥ 探検（　　）

⑦ 値段（　　）

⑧ 札束（　　）

⑨ 重箱（　　）

⑩ 組曲（　　）

（七）　後の□の中のひらがなを漢字になおして、**対義語**（意味が反対や対《つい》になることば）と、**類義語**（意味がよく似たことば）を書きなさい。□の中のひらがなは**一度だけ**使い、**漢字一字**を書きなさい。

1問2点　／20

対義語

① 順風—□風

② 冷静—興□

③ 誕生—死□

④ 読者—□者

⑤ 複雑—単□

類義語

⑥ 始末—□分

⑦ 地区—地□

⑧ 反対—□議

⑨ 感服—□服

⑩ 進歩—発□

い・いき・ぎゃく・けい・じゅん・しょ・ちょ・てん・ふん・ぼう

(六) 次の**カタカナ**を**漢字**になおし、**一字だけ**書きなさい。

1問2点 /20

① 予防注**シャ**（　）
② **カク**張工事（　）
③ **クウ**前絶後（　）
④ 対馬《つしま》**ダン**流（　）
⑤ 自画自**サン**（　）
⑥ **シュウ**職活動（　）
⑦ 集合住**タク**（　）
⑧ 天然資**ゲン**（　）
⑨ 負**タン**軽減（　）
⑩ 平和**セン**言（　）

(八) 後の□の中から漢字を選んで、次の意味にあてはまる**熟語**を作りなさい。答えは**記号**を書きなさい。

1問2点 /10

〈例〉本を読むこと。（読書）（シ・サ）

① 音楽をかなでること。（　・　）
② すいこむこと。（　・　）
③ 高齢《れい》者を大切にすること。（　・　）
④ 注意をよびかける知らせ。（　・　）
⑤ 真心をもって接すること。（　・　）

ア 敬　**イ** 誠　**ウ** 警　**エ** 吸
オ 演　**カ** 奏　**キ** 引　**ク** 報
ケ 実　**コ** 老　**サ** 書　**シ** 読

(九) 漢字を二字組み合わせた熟語では、二つの漢字の間に意味の上で、次のような関係があります。

1問2点

20

ア　反対や対《つい》になる意味の字を組み合わせたもの。（例…**強弱**）
イ　同じような意味の字を組み合わせたもの。（例…**進行**）
ウ　上の字が下の字の意味を説明（修飾《しょく》）しているもの。（例…**国旗**）
エ　下の字から上の字へ返って読むと意味がよくわかるもの。（例…**消火**）

次の**熟語**は、右の**ア**～**エ**のどれにあたるか、**記号**で答えなさい。

① 増減（　）
② 洗顔（　）
③ 郷里（　）
④ 困苦（　）
⑤ 順延（　）
⑥ 乗降（　）
⑦ 善良（　）
⑧ 停止（　）
⑨ 拝礼（　）
⑩ 短針（　）

(十) 次の――線の**カタカナ**を**漢字**になおしなさい。

1問2点

40

① **コウショウ**で伝えられる話だ。（　）
② 日本国**ケンポウ**を守る。（　）
③ **コッセツ**して入院した。（　）
④ **アクセン**身につかず。（　）
⑤ **カンマツ**に資料をつける。（　）
⑥ **リンジ**で休校になる。（　）
⑦ **ジシャク**を使ったおもちゃ。（　）
⑧ **テツボウ**にぶら下がる。（　）
⑨ パソコンが**コショウ**する。（　）

(十)

次の——線のカタカナを漢字になおしなさい。

1問2点

/20

①カイソウ電車が通過する。（　　）
②店をカイソウする。（　　）
③カンシュウをあらためる。（　　）
④カンシュウがさわぐ。（　　）
⑤口出しはゲンキンだ。（　　）
⑥レジでゲンキンを出す。（　　）
⑦トウブンの間、不在にする。（　　）
⑧トウブンをひかえる。（　　）
⑨ドクソウ的なアイデアだ。（　　）
⑩トップでドクソウする。（　　）

⑩ケンバイキを置く。（　　）
⑪トラックがスナを運ぶ。（　　）
⑫不足した部分をオギナう。（　　）
⑬タテと横がある。（　　）
⑭家の神だなにソナえた。（　　）
⑮みんなでアナをほる。（　　）
⑯顔にしわがキザまれる。（　　）
⑰二人でセを比べる。（　　）
⑱建物のウラガワから見る。（　　）
⑲値引き品にはワケがある。（　　）
⑳ハラ八分に医者いらず（　　）

第6回 模擬テスト

第7回 模擬テスト

制限時間60分

140点で合格

/200

解答 別冊P.30～31

(一) 次の――線の**漢字の読み**を**ひらがな**で書きなさい。

1問1点 /20

① **主将**がチームをひきいる。（　　）

② 各国の**宗教**は多様だ。（　　）

③ 教室で**尺八**を習う。（　　）

④ **宇宙**の広さを感じる。（　　）

⑤ **幼少**のころに教わる。（　　）

⑥ **車窓**から身を乗り出す。（　　）

⑦ サイズを**縮小**して送る。（　　）

⑧ テレビで**宣伝**する。（　　）

(二) 次の漢字の**部首**と**部首名**を後の□の中から選び、**記号**で答えなさい。

1問1点 /10

〈例〉返 部首〔う〕 部首名〔ク〕

漢字	部首	部首名
糖	①（　）	②（　）
延	③（　）	④（　）
装	⑤（　）	⑥（　）
晩	⑦（　）	⑧（　）
陛	⑨（　）	⑩（　）

あ 儿　い 止　う 辶　え 士　お 米
か 衣　き 口　く 阝　け 廴　こ 日

⑨ **地域**ごとの文化を調べる。（　　）
⑩ 強い**敵**が現れた。（　　）
⑪ **鉄棒**で逆上がりをする。（　　）
⑫ 線路に**沿**って進む。（　　）
⑬ **裏庭**で花を育てる。（　　）
⑭ **厳**しい言葉を投げかける。（　　）
⑮ **蚕**を家で飼っている。（　　）
⑯ かれは**若**くて有能だ。（　　）
⑰ シャツをタンスに**収**めた。（　　）
⑱ 山の**頂**を目指す。（　　）
⑲ **卵**を使った料理をする。（　　）
⑳ **我**と来て遊べや親のないすずめ（　　）

ア こざとへん　イ こめへん
ウ ころも　エ ひへん
オ ひとあし　カ くち
キ とめる　ク しんにょう
ケ さむらい　コ えんにょう

(三) 次の漢字の**太い画**のところは**筆順の何画目**か、また**総画数は何画**か、**算用数字**（1、2、3…）で答えなさい。

1問1点　／10

〈例〉定（5）何画目（8）総画数

	何画目	総画数
推	①（　）	②（　）
割	③（　）	④（　）
展	⑤（　）	⑥（　）
困	⑦（　）	⑧（　）
乳	⑨（　）	⑩（　）

（四）次の――線の**カタカナ**の部分を**漢字一字と送りがな（ひらがな）**になおしなさい。

1問2点　／10

〈例〉クラブのきまりを**サダメル**。（定める）

① 水面に山が**ウツル**。（　　）

② **ウタガワ**ずに信じる。（　　）

③ 父が車を**アラウ**。（　　）

④ あまり**ミトメ**たくない。（　　）

⑤ **オギナッ**てこそのチームだ。（　　）

（五）漢字の読みには**音**と**訓**があります。次の**熟語の読み**は［　］の中のどの組み合わせになっていますか。**ア〜エ**の**記号**で答えなさい。

1問2点　／20

ア 音と音　**イ** 音と訓　**ウ** 訓と訓　**エ** 訓と音

① 残高（　　）

② 規律（　　）

③ 番組（　　）

④ 手配（　　）

⑤ 心臓（　　）

⑥ 創造（　　）

⑦ 背骨（　　）

⑧ 郷里（　　）

⑨ 通訳（　　）

⑩ 納入（　　）

（七）後の［　］の中のひらがなを漢字になおして、**対義語**（意味が反対や対《つい》になることば）と、**類義語**（意味がよく似たことば）を書きなさい。［　］の中のひらがなは**一度だけ**使い、**漢字一字**を書きなさい。

1問2点　／20

対義語

① 寒冷―温□

② 他者―自□

③ 悪人―□人

④ 地味―□手

⑤ 可決―□決

類義語

⑥ 開演―開□

⑦ 大木―大□

⑧ 指図―指□

⑨ 着任―□任

⑩ 重荷―負□

こ・じ・じゅ・しゅう・ぜん・たん・だん・は・ひ・まく

（六）　次の**カタカナ**を**漢字**になおし、**一字だけ**書きなさい。

1問2点 ／20

① 一心不**ラン**（　　）
② 言語**ドウ**断（　　）
③ 人権**ソン**重（　　）
④ 応急**ショ**置（　　）
⑤ 検**トウ**課題（　　）
⑥ 証**ケン**市場（　　）
⑦ 人口**ミツ**度（　　）
⑧ **セン**門用語（　　）
⑨ 単**ジュン**明快（　　）
⑩ **リン**機応変（　　）

（八）　後の［　］の中から漢字を選んで、次の意味にあてはまる**熟語**を作りなさい。答えは**記号**を書きなさい。

1問2点 ／10

〈例〉本を読むこと。（読書）（シ・サ）

① 先人が残した業績や富。（　・　）
② 団体や組織に入ること。（　・　）
③ よりよいものに変えること。（　・　）
④ 正直な心。真心。（　・　）
⑤ 大勢の人。（　・　）

ア 大　**イ** 改　**ウ** 誠　**エ** 加
オ 遺　**カ** 衆　**キ** 盟　**ク** 意
ケ 産　**コ** 革　**サ** 書　**シ** 読

(九)

漢字を二字組み合わせた熟語では、二つの漢字の間に意味の上で、次のような関係があります。

1問2点 20

ア　反対や対《つい》になる意味の字を組み合わせたもの。（例…**強弱**）
イ　同じような意味の字を組み合わせたもの。（例…**進行**）
ウ　上の字が下の字の意味を説明（修飾《しゅうしょく》）しているもの。（例…**国旗**）
エ　下の字から上の字へ返って読むと意味がよくわかるもの。（例…**消火**）

次の**熟語**は、右の**ア**～**エ**のどれにあたるか、**記号**で答えなさい。

①閉館（　　）
②公私（　　）
③城門（　　）
④異国（　　）
⑤勤務（　　）
⑥禁止（　　）
⑦敬意（　　）
⑧視点（　　）
⑨縦横（　　）
⑩秒針（　　）

(十)

次の――線の**カタカナ**を**漢字**になおしなさい。

1問2点 40

①長い**ギロン**を終える。（　　）
②**チュウジツ**な行動だ。（　　）
③努力して**ユウショウ**した。（　　）
④夜に**セイザ**を見上げる。（　　）
⑤通行止めを**カイジョ**する。（　　）
⑥**コウソウ**階に住む。（　　）
⑦**テイコク**に始める。（　　）
⑧大切に**ホゾン**する。（　　）
⑨数**マイ**のチラシをはさむ。（　　）

（十）　次の――線のカタカナを漢字になおしなさい。

1問2点

/20

① 本を全カンそろえる。（　　）
② 妻のカン病をする。（　　）
③ 美しいケイカンだ。（　　）
④ ケイカンが交番にいる。（　　）
⑤ 中学のコウカをうたう。（　　）
⑥ コウカな買い物をする。（　　）
⑦ 弓矢で的をイる。（　　）
⑧ 父が部屋にイる。（　　）
⑨ シオが満ちる時間だ。（　　）
⑩ スープにシオを入れる。（　　）

⑩ 苦労はショウチの上だ。（　　）
⑪ 新色のロベニを買う。（　　）
⑫ 注文した品がトドいた。（　　）
⑬ 大きく息をスいこむ。（　　）
⑭ スんだことをくやまない。（　　）
⑮ 切りカブの上に立つ。（　　）
⑯ キヌイトを高く売る。（　　）
⑰ ヨばれて出てくる。（　　）
⑱ 素直にシタガう。（　　）
⑲ イタみをがまんする。（　　）
⑳ アブない橋も一度は渡れ（　　）

弱点を克服しよう

漢検５級は 11 分野の問題で構成されます。問題の種類が多いぶん、不得意なジャンルに足を引っ張られる人もいます。合格を確実にするために、自分の強みと弱点を理解しておきましょう。

❶ まずはとにかく解いて、自分の力を試す

１人１人が持っている漢字の知識はそれぞれです。まずは、ミニテストを数回解いて、分野ごとの点数を出してみましょう。本書では別冊の最後のページに「弱点が見つかる！ミニテスト採点表」をつけました。各ジャンルの得点率を出せば、自分の強みと弱点が見えてきます。

もし、苦手分野がたくさんあっても大丈夫。まだ漢字を覚えきれていないだけです。最初は漢字の練習と思って、答えを見ながら解いても OK です。

やってみよう

- □ まずは、５回分解いてみる
- □ 採点表に点数を書いて、分野ごとの得点率を出してみる
- □ 自分の強みと弱点を確認する

❷ 巻末付録で弱点補強！

弱点がわかったら、その部分を集中対策しましょう。

本書の巻末付録には、各ジャンルの「苦手克服！ 分野別攻略法」と「よく出る問題リスト」を用意しました。よく出る問題ばかり集めているので、短い時間で弱点をカバーできます。

やってみよう

- □ 攻略法ページを読んで、問題の解き方をチェック
- □ よく出る問題リストの答えを隠して、暗記リストとして使う

❸ 弱点対策の優先順位を考える

苦手をすべてなくす必要はありません。複数の弱点分野があるときは「その分野の重要度」を考えましょう。例えば「部首」と「書き取り」が苦手な場合、時間をかけるべきなのは書き取り対策です。部首は配点が 10 点と少なめで、しかも記号で答える形式でかんたんだからです。P.112 の「分野から見る５級攻略法」を参考に、対策の優先順位をつけましょう。

やってみよう

- □ 分野ごとの配点を頭に入れる
- □ 各分野で何点取れば合格の目安 140 点に届くか計算する
- □ 配点が高く範囲が広い分野を優先して対策する

巻末付録

巻末付録の使い方

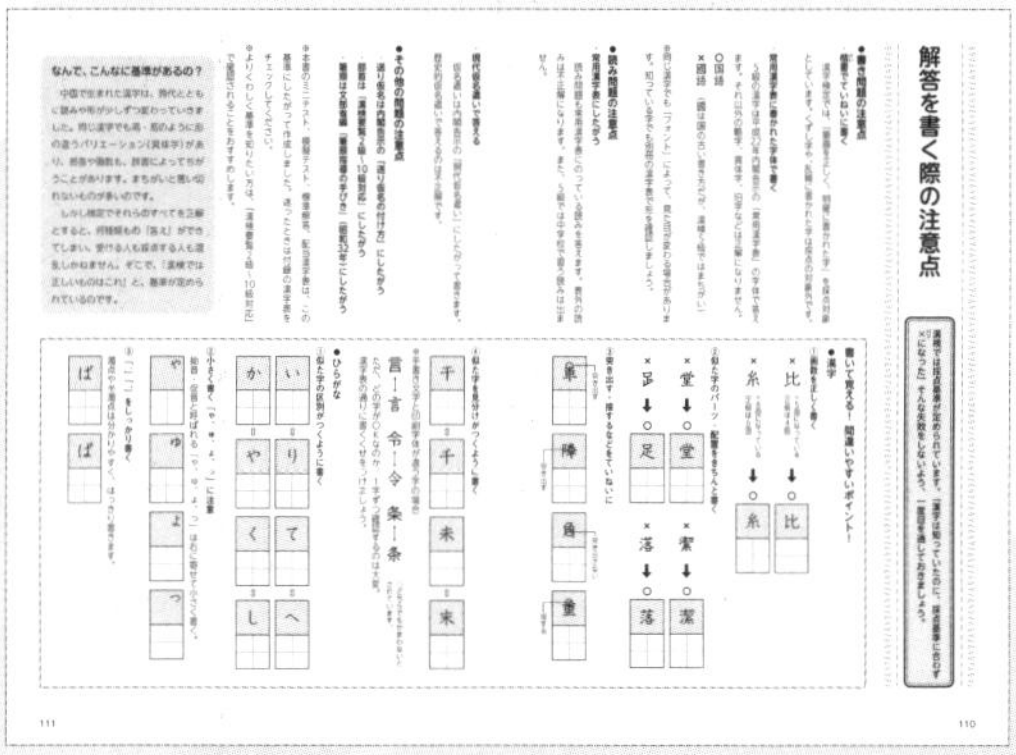

◀目を通しておきたい お役立ちページ

漢検の配点や、解答を書く際の注意点など、合格のために知っておきたいポイントを紹介しています。

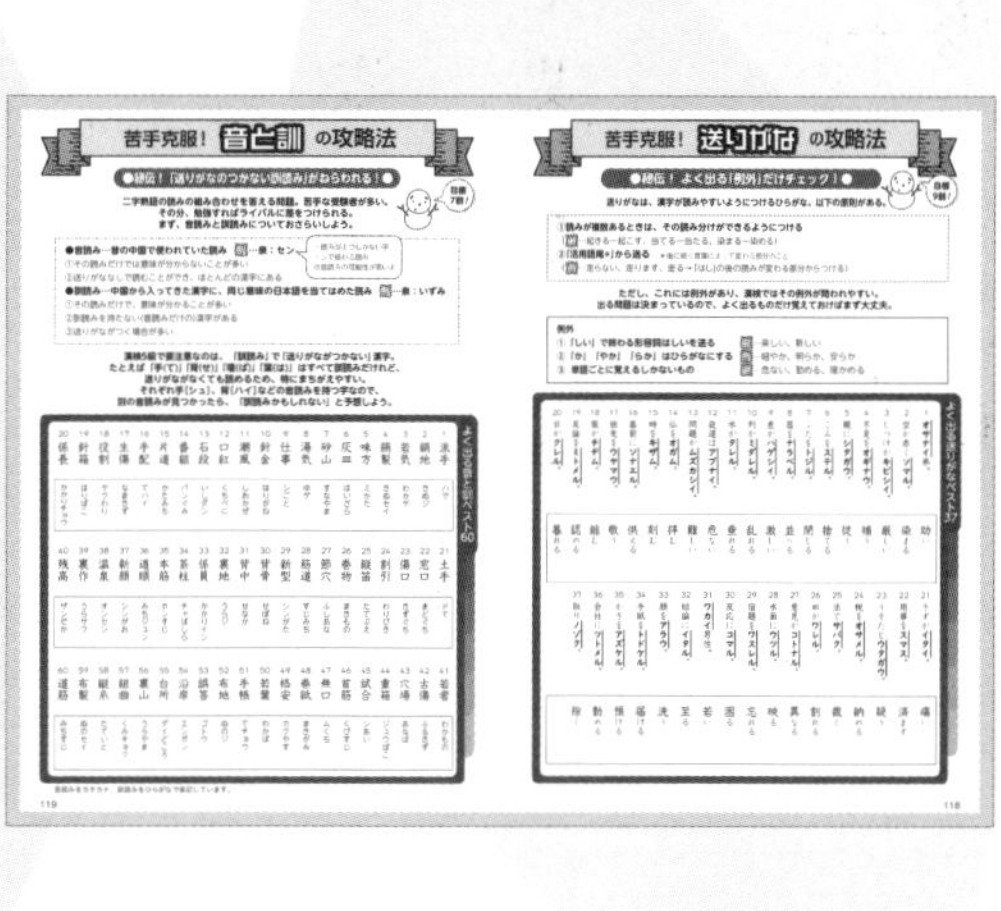

攻略の秘伝＆よく出る問題リスト▶

分野ごとの解き方のコツと、よく出る問題リストを掲載。ここを押さえれば、苦手な問題を攻略できます！

解答を書く際の注意点

漢検では採点基準が定められています。「漢字は知っていたのに、採点基準に合わず×《バツ》になった」そんな失敗をしないよう、一度目を通しておきましょう。

●書き問題の注意点

・楷《かい》書でていねいに書く

漢字検定では、「筆画を正しく、明確に書かれた字」を採点対象としています。くずし字や、乱雑に書かれた字は採点の対象外です。

・常用漢字表に書かれた字体で書く

5級の漢字は平成22年内閣告示の「常用漢字表」の字体で答えます。それ以外の略字、異体字、旧字などは正解になりません。

○国語
×國語（國は国の古い書き方だが、漢検5級ではまちがい）

※同じ漢字でも「フォント」によって、見た目が変わる場合があります。知っている字でも別冊の漢字表で形を確認しましょう。

●読み問題の注意点

・常用漢字表にしたがう

読み問題も常用漢字表にのっている読みを答えます。表外の読みは不正解になります。また、5級では中学校で習う読みは出ません。

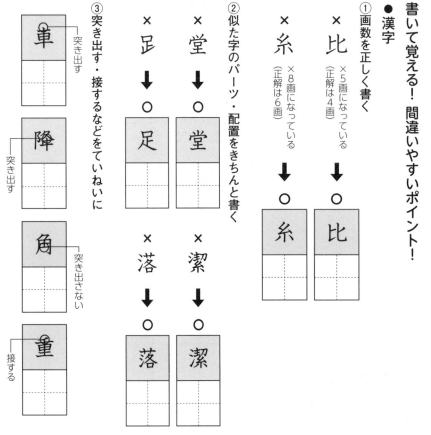

書いて覚える！ 間違いやすいポイント！

●漢字

①画数を正しく書く

×比 ×5画になっている（正解は4画） → ○比

×糸 ×8画になっている（正解は6画） → ○糸

②似た字のパーツ・配置をきちんと書く

×堂 → ○堂

×足 → ○足

×潔 → ○潔

×落 → ○落

③突き出す・接するなどをていねいに

車 突き出す

降 突き出す

角 突き出さない

重 接する

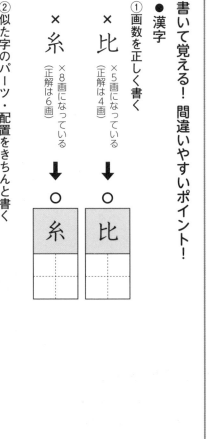

・現代仮名遣いで答える

仮名遣いは内閣告示の「現代仮名遣い」にしたがって書きます。歴史的仮名遣いで答えるのは不正解です。

●その他の問題の注意点

・送り仮名は内閣告示の「送り仮名の付け方」にしたがう

・部首は『漢検要覧2級～10級対応』にしたがう

・筆順は文部省編『筆順指導の手びき』（昭和32年）にしたがう

※本書のミニテスト、模擬テスト、標準解答、新出漢字表は、この基準にしたがって作成しました。迷ったときは付録の漢字表をチェックしてください。

※よりくわしく基準を知りたい方は、『漢検要覧2級～10級対応』で確認されることをおすすめします。

なんで、こんなに基準があるの？

中国で生まれた漢字は、時代とともに読みや形が少しずつ変わっていきました。同じ漢字でも高・髙のように形の違うバリエーション（異体字）があり、部首や画数も、辞書によってちがうことがあります。まちがいと言い切れないものが多いのです。

しかし検定でそれらのすべてを正解とすると、何種類もの「答え」ができてしまい、受ける人も採点する人も混乱しかねません。そこで、「漢検では正しいものはこれ」と、基準が定められているのです。

④似た字を見分けがつくように書く

干 ⇕ 千　未 ⇕ 末

※手書き文字と印刷字体が違う字の場合

言↔言　令↔令　条↔条　○どちらでもかまわないとされています。

ただ、どの字がOKなのか、1字ずつ確認するのは大変。漢字表の通りに書くくせをつけましょう。

●ひらがな

①似た字の区別がつくように書く

い ⇕ り　て ⇕ へ

か ⇕ や　く ⇕ し

②小さく書く「ゃ、ゅ、ょ、っ」に注意

拗音・促音と呼ばれる「ゃ、ゅ、ょ、っ」は右に寄せて小さく書く。

ゃ　ゅ　ょ　っ

③「゛」「゜」をしっかり書く

濁点や半濁点は分かりやすく、はっきり書きます。

ば　ぱ

分野から見る5級攻略法

5級では11分野の問題が出されます。分野によって解答方法や配点はさまざま。どの分野で点数をゲットするか、戦略を立てて対策しましょう。

試験内容は変わる場合があります

①読み
20点　1問1点×20問　手書き

漢字の読みをひらがなで書く問題。「中学校・高校で習う読み」は出ない。

②部首と部首名
10点　1問1点×10問　記号

選択肢から、正しい部首と部首名を選ぶ問題。覚える量の割に配点が少ないので、出やすい問題だけ覚えよう。

③画数
10点　1問1点×10問　記号

指定された画が何画目かと総画数を算用数字で答える問題。筆順の基本ルールを外れた例外の字がよく出る。

④送りがな
10点　1問2点×5問　手書き

漢字と送りがなを書く問題。「どこからひらがなで書くか」を覚える必要があるが、それ以外は書き取りと同じ。

⑤音と訓
20点　1問2点×10問　記号

二字熟語の読みについて音・訓の組み合わせを答える問題。苦手な受検者が多い。

合格の目安をゲットする作戦を立てよう

5級の合格の目安は70％程度。つまり、200点満点中140点が必要です。分野ごとの問題の特徴を知り、合格のための「戦略」を立てましょう。

①数字・記号で答える分野

「部首と部首名」「画数」「音と訓」「熟語作り」「熟語の構成」

記号問題は書きまちがいによる減点がないぶん、点数を取りやすい分野です。「まぐれ当たり」もありえるので、自信がない問題でも解答はすべて埋めましょう。

②出題数の多い分野

「書き取り」「読み」

問題の数も種類も多いのが特徴です。とにかく早めの対策が必要です。「読み」「書き取り」は両方で出る熟語も多いので、関連づけて覚えましょう。

⑥四字熟語

20点　1問2点×10問　手書き

四字熟語の中の1字を漢字で書く問題。5級では二字熟語を組み合わせたものが多い。

⑦対義語・類義語

20点　1問2点×10問　手書き

問題に書かれた二字熟語の「対義語」「類義語」を答える問題。むずかしそうに見えるが、1字は問題に書かれており、読みの選択肢のヒントもある。

⑧熟語作り

10点　1問2点×5問　記号

意味をヒントに漢字を組み合わせて二字熟語を作る問題。意味をきちんと知っているかが問われる。

⑨熟語の構成

20点　1問2点×10問　記号

熟語を作る漢字の関係性を答える問題。苦手な人も多いけれど、解き方のルールさえ分かれば簡単。

⑩同じ読みの漢字

20点　1問2点×10問　手書き

問題文の内容に合う意味をもつ同じ読みの漢字を書く問題。漢字の意味と使い分けを理解しておく必要がある。

⑪書き取り

40点　1問2点×20問　手書き

カタカナを漢字に直す問題。漢字の知識のほか、その漢字だとわかるように「ていねい」に書く力も重要。

③専用の対策が必要な分野

「熟語の構成」「対義語・類義語」「音と訓」「四字熟語」「部首」

その分野に特化した知識が必要な分野です。点数も比較的多く手が抜けません。ただし、同じ問題がくりかえし出やすく、一度攻略できれば得点源にできます。

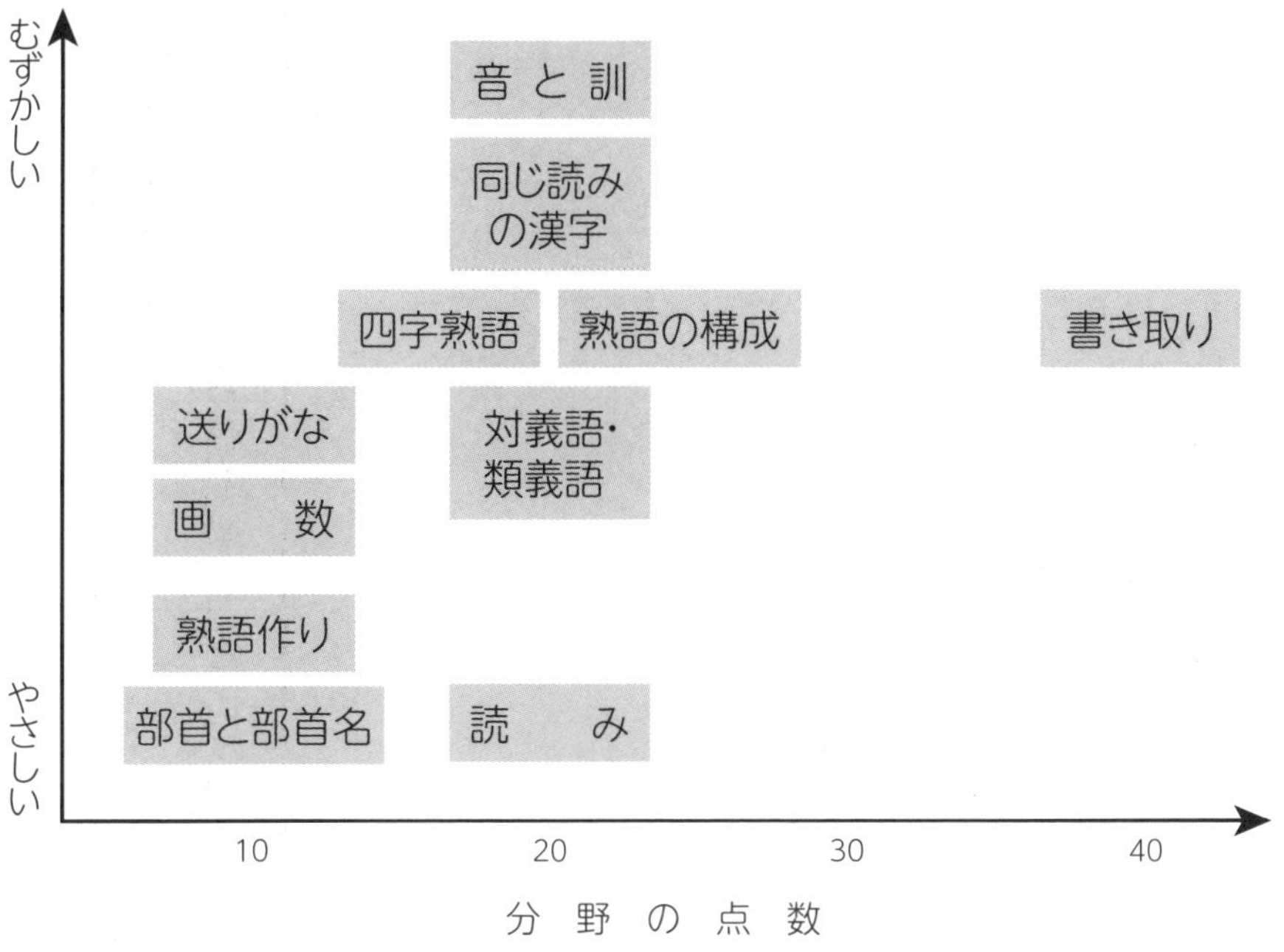

試験概要

漢字検定は日本漢字能力検定協会が主催する検定です。1級から10級までの12段階に分かれ、5級は小学校卒業程度の知識を目安にしています。

●受検資格

だれでも受けられます。

●検定会場

全国の主要都市に設置されます。団体受検では、準会場が学校などに設置されます。CBT(コンピューター)試験では各地のテストセンターでも受検できます。級によってはタブレットなどを使ってインターネット経由で自宅受検できる漢検オンラインも実施されています。

●検定時期

年3回(6月、11～12月、翌年1～2月)。

団体受検やCBT受検の場合は、日本漢字能力検定協会に問い合わせましょう。

●申込方法

インターネットで申し込む

インターネットで申込フォームにアクセスし必要事項を入力する。

クレジットカード決済、コンビニ決済などで検定料を支払う。

※試験要項・申込方法は変わる場合があります。事前に必ず協会のHPで確認しましょう。

問い合わせ先

公益財団法人　日本漢字能力検定協会

〒605-0074　京都市東山区祇園町南側551

ホームページ　https://www.kanken.or.jp/

フリーダイヤル　0120-509-315

※土日・祝日・お盆・年末年始を除く9：00 ～ 17：00

苦手克服！ 読み の攻略法

●秘伝！「訓読み」を先にマスターで効率UP●

読みでは、音読みと訓読みがバランスよく出される。
ところが、訓読みは音読みと比べて、問題の種類が少ない。
つまり、同じ問題がくり返し出される。まず、出やすい「訓読み」を覚えて、得点源にしよう！
訓読みは「送りがな」でも問われるので、どこからひらがなにするのか、いっしょに覚えると効率的！

よく出る読みベスト80

1	探す	さがす
2	盛る	もる
3	暮らす	くらす
4	庁舎	ちょうしゃ
5	誤る	あやまる
6	尊い	たっとい・とうとい
7	机	つくえ
8	我	われ
9	奮う	ふるう
10	障子	しょうじ
11	従う	したがう
12	穀物	こくもつ
13	穴	あな
14	姿	すがた
15	洗う	あらう
16	頂	いただき
17	垂れる	たれる
18	染まる	そまる
19	至る	いたる
20	届く	とどく
21	窓	まど
22	熟れる	うれる
23	認める	みとめる
24	並ぶ	ならぶ
25	呼ぶ	よぶ
26	巻く	まく
27	訳	やく
28	干す	ほす
29	幼い	おさない
30	規律	きりつ
31	激しい	はげしい
32	街路樹	がいろじゅ
33	刻む	きざむ
34	傷	きず
35	訪ねる	たずねる
36	宗教	しゅうきょう
37	補う	おぎなう
38	暖める	あたためる
39	歌詞	かし
40	鋼鉄	こうてつ
41	乱れる	みだれる
42	閉じる	とじる
43	厳しい	きびしい
44	俳句	はいく
45	内閣	ないかく
46	綿密	めんみつ
47	降りる	おりる
48	射る	いる
49	資源	しげん
50	沿う	そう
51	胸	むね
52	中腹	ちゅうふく
53	蚕	かいこ
54	幕	まく
55	済む	すむ
56	腹	はら
57	著名	ちょめい
58	車窓	しゃそう
59	収める	おさめる
60	縮む	ちぢむ
61	川沿い	かわぞい
62	吸う	すう
63	延びる	のびる
64	郷里	きょうり
65	城	しろ
66	映す	うつす
67	晩秋	ばんしゅう
68	株	かぶ
69	展示	てんじ
70	忘れる	わすれる
71	尺八	しゃくはち
72	樹氷	じゅひょう
73	納める	おさめる
74	勤める	つとめる
75	興奮	こうふん
76	潮風	しおかぜ
77	批評	ひひょう
78	卵	たまご
79	武将	ぶしょう
80	供える	そなえる

複数の読みがあるものは、よく出る読みを掲載しています。

苦手克服！部首と部首名の攻略法

●秘伝！ 出やすい漢字だけを覚える！●

部首は、漢字をグループ分けするために使われる共通のパーツのこと。
漢検５級では、以下のような部首が出題されやすい。
部首の読み方も問われるので、忘れずに覚えよう。

①部首の形が漢字から読み取りにくいもの　例…我、冊など
②字の中に部首になれるパーツが２つ以上あるもの　例…蒸(くさかんむり・れんが)、枚(きへん・のぶん)
③同じ形の部首があり、読みをまちがえやすいもの　例…阝(こざとへん・おおざと)、月(つきへん・にくづき)

5級の部首問題に出る漢字は、かなりかたよっている。配点も10点と少ないので、まずは出やすい下の漢字を丸暗記しよう。覚えきったら、他の分野の対策をする方が効率的。

よく出る部首ベスト60

1	庁	广	まだれ
2	熟	灬	れんが
3	座	广	まだれ
4	陛	阝	こざとへん
5	盟	皿	さら
6	層	尸	しかばね
7	閣	門	もんがまえ
8	冊	冂	どうがまえ
9	聖	耳	みみ
10	肺	月	にくづき
11	枚	木	きへん
12	署	罒	あみがしら
13	痛	疒	やまいだれ
14	蔵	艹	くさかんむり
15	我	戈	ほこづくり
16	届	尸	しかばね
17	勤	力	ちから
18	郵	阝	おおざと
19	困	囗	くにがまえ
20	敬	攵	のぶん
21	宇	宀	うかんむり
22	劇	刂	りっとう
23	宗	宀	うかんむり
24	憲	心	こころ
25	創	刂	りっとう
26	郷	阝	おおざと
27	裁	衣	ころも
28	蒸	艹	くさかんむり
29	刻	刂	りっとう
30	拡	扌	てへん
31	簡	⺮	たけかんむり
32	胸	月	にくづき
33	誕	言	ごんべん
34	忠	心	こころ
35	宙	宀	うかんむり
36	泉	水	みず
37	欲	欠	あくび
38	盛	皿	さら
39	激	氵	さんずい
40	臓	月	にくづき
41	割	刂	りっとう
42	腹	月	にくづき
43	筋	⺮	たけかんむり
44	延	廴	えんにょう
45	宣	宀	うかんむり
46	賃	貝	かい
47	縮	糸	いとへん
48	幕	巾	はば
49	担	扌	てへん
50	模	木	きへん
51	忘	心	こころ
52	除	阝	こざとへん
53	頂	頁	おおがい
54	窓	穴	あなかんむり
55	潮	氵	さんずい
56	域	土	つちへん
57	染	木	き
58	蚕	虫	むし
59	展	尸	しかばね
60	補	衤	ころもへん

苦手克服！画数の攻略法

●秘伝！「原則と異なる書き順」の漢字をチェック●

書き順は文字をきれいに書くためのルール。次の6つの原則がある。

①左から右、上から下に書く
②交差するときは横画→縦画の順に書く 例…十、干、用
例外 一部の漢字は、縦画を先に書く！（田…由、曲、再　王…責、隹…進、集）
③中と左右のパーツがあり、左右が1・2画のときは中が先 例…小、水、糸
例外 一部の漢字は、左→右→真ん中の順に書く！（火、忄[りっしんべん]、米）
④かまえを先に書く 例…国、同、内、司
⑤左はらい→右はらい 例…文、大
⑥文字をつらぬく長い線は最後 例…子、母、書

漢検で問われやすいのは、原則とはちがう例外（田、王、耳、集）をふくむ漢字。
例外をまず覚えよう。1、2、3、4とつぶやきながら書くと、より忘れにくい。
また、1画か2画か迷う部分を持つ漢字（阝：3画　⻌：3画　比：4画）にも注意。

よく出る画数ベスト60

15	14	13	12	11	10	9	8	7	6	5	4	3	2	1	
俳	脳	蒸	系	憲	孝	裁	我	純	処	灰	遺	皇	陛	閣	
3・10	8・11	9・13	5・7	5・16	4・7	10・12	3・7	8・10	4・5	5・6	4・15	7・9	3・10	1・14	太字の画数・総画数

30	29	28	27	26	25	24	23	22	21	20	19	18	17	16	
除	熟	后	染	貴	片	派	革	党	冊	聖	班	誕	郵	訳	
3・10	10・15	3・6	5・9	5・12	3・4	6・9	3・9	1・10	5・5	11・13	8・10	9・15	7・11	8・11	太字の画数・総画数

45	44	43	42	41	40	39	38	37	36	35	34	33	32	31	
策	誤	将	奮	権	郷	呼	若	骨	卵	難	宙	訪	穀	存	
10・12	12・14	3・10	8・16	9・15	4・11	5・8	4・8	4・10	2・7	13・18	6・8	10・11	11・14	2・6	太字の画数・総画数

60	59	58	57	56	55	54	53	52	51	50	49	48	47	46	
批	臨	吸	糖	射	宝	危	看	詞	垂	盛	障	乳	推	衆	
5・7	4・18	4・6	13・16	6・10	6・8	4・6	4・9	8・12	6・8	1・11	8・14	7・8	8・11	8・12	太字の画数・総画数

苦手克服！ 送りがな の攻略法

●秘伝！ よく出る「例外」だけチェック！●

送りがなは、漢字が読みやすいようにつけるひらがな。以下の原則がある。

①読みが複数あるときは、その読み分けができるようにつける
（例…起きる一起こす、当てる一当たる、染まる一染める）
②「活用語尾＊」から送る　＊後に続く言葉によって変わる部分のこと
（例…走らない、走ります、走る→「はし」の後の読みが変わる部分からつける）

ただし、これには例外があり、漢検ではその例外が問われやすい。
出る問題は決まっているので、よく出るものだけ覚えておけばまず大丈夫。

例外
① **「しい」で終わる形容詞はしいを送る**　例…楽しい、新しい
② **「か」「やか」「らか」はひらがなにする**　例…細やか、明らか、安らか
③ **単語ごとに覚えるしかないもの**　例…危ない、勤める、確かめる

よく出る送りがなベスト37

1 **オサナイ**弟。
2 空が赤く**ソマル**。
3 しつけが**キビシイ**。
4 不足を**オギナウ**。
5 親に**シタガウ**。
6 ごみを**ステル**。
7 ふたを**トジル**。
8 器を**ナラベル**。
9 差が**ハゲシイ**。
10 列が**ミダレル**。
11 水が**タレル**。
12 夜道は**アブナイ**。
13 問題が**ムズカシイ**。
14 仏を**オガム**。
15 時を**キザム**。
16 墓前に**ソナエル**。
17 祖先を**ウヤマウ**。
18 服が**チヂム**。
19 反論を**ミトメル**。
20 日が**クレル**。

幼い　染まる　厳しい　補う　従う　捨てる　閉じる　並べる　激しい　乱れる　垂れる　危ない　難しい　拝む　刻む　供える　敬う　縮む　認める　暮れる

21 きずが**イタイ**。
22 用事を**スマス**。
23 うそだと**ウタガウ**。
24 税を**オサメル**。
25 法で**サバク**。
26 皿が**ワレル**。
27 意見が**コトナル**。
28 水面に**ウツル**。
29 宿題を**ワスレル**。
30 反応に**コマル**。
31 **ワカイ**男性。
32 結論に**イタル**。
33 顔を**アラウ**。
34 手紙を**トドケル**。
35 かぎを**アズケル**。
36 会社に**ツトメル**。
37 取り**ノゾク**。

痛い　済ます　疑う　納める　裁く　割れる　異なる　映る　忘れる　困る　若い　至る　洗う　届ける　預ける　勤める　除く

苦手克服！音と訓の攻略法

●秘伝！「送りがなのつかない訓読み」がねらわれる！●

二字熟語の読みの組み合わせを答える問題。苦手な受験者が多い。
その分、勉強すればライバルに差をつけられる。
まず、音読みと訓読みについておさらいしよう。

●音読み…昔の中国で使われていた読み 例…泉：セン

・読みが１つしかない字
・ンで終わる読み
は音読みの可能性が高いよ

①その読みだけでは意味が分からないことが多い
②送りがななしで読むことができ、ほとんどの漢字にある

●訓読み…中国から入ってきた漢字に、同じ意味の日本語を当てはめた読み 例…泉：いずみ

①その読みだけで、意味が分かることが多い
②訓読みを持たない（音読みだけの）漢字がある
③送りがながつく場合が多い

漢検5級で要注意なのは、「訓読み」で「送りがながつかない」漢字。
たとえば「手(て)」「背(せ)」「場(ば)」「葉(は)」はすべて訓読みだけれど、
送りがながなくても読めるため、特にまちがえやすい。
それぞれ手［シュ］、背［ハイ］などの音読みを持つ字なので、
別の音読みが見つかったら、「訓読みかもしれない」と予想しよう。

よく出る音と訓ベスト60

1	派手	ハで
2	絹地	きぬジ
3	若気	わかゲ
4	絹製	きぬセイ
5	味方	ミかた
6	灰皿	はいざら
7	砂山	すなやま
8	湯気	ゆゲ
9	仕事	シごと
10	針金	はりがね
11	潮風	しおかぜ
12	口紅	くちべに
13	石段	いしダン
14	番組	バンぐみ
15	片道	かたみち
16	手配	てハイ
17	生傷	なまきず
18	役割	ヤクわり
19	針箱	はりばこ
20	係長	かかりチョウ
21	土手	ドて
22	窓口	まどぐち
23	傷口	きずぐち
24	割引	わりびき
25	縦笛	たてぶえ
26	巻物	まきもの
27	節穴	ふしあな
28	筋道	すじみち
29	新型	シンがた
30	背骨	せぼね
31	背中	せなか
32	裏地	うらジ
33	係員	かかりイン
34	茶柱	チャばしら
35	本筋	ホンすじ
36	道順	みちジュン
37	新顔	シンがお
38	温泉	オンセン
39	裏作	うらサク
40	残高	ザンだか
41	若者	わかもの
42	古傷	ふるきず
43	穴場	あなば
44	重箱	ジュウばこ
45	試合	シあい
46	首筋	くびすじ
47	無口	ムくち
48	巻紙	まきがみ
49	格安	カクやす
50	若葉	わかば
51	手帳	てチョウ
52	布地	ぬのジ
53	誤答	ゴトウ
54	沿岸	エンガン
55	台所	ダイどころ
56	裏山	うらやま
57	組曲	くみキョク
58	縦糸	たていと
59	布製	ぬのセイ
60	道筋	みちすじ

音読みをカタカナ、訓読みをひらがなで表記しています。

苦手克服！ 四字熟語の攻略法

●秘伝！ 故事成語は由来も覚えよう●

四字熟語の中の1字を漢字で書く問題。登場する熟語には次の2種がある。

①単に二字熟語を組み合わせたもの　**例**…家庭訪問（家庭＋訪問）

②故事成語（昔の出来事やことわざをもとに作られたもの）

例…油断大敵　昔、とある王様が家臣に対し「油を入れた器を持って歩くよう」命じ、油が少しでもこぼれたときには処刑《けい》すると告げたという話から（諸説あり）

5級では①の方が出やすい。文字通り読めば意味も分かる。
ただ、四文字のどの字も書けるように練習しよう。
②は漢字の並びだけでは、意味が結びつかず覚えにくい。その由来もチェックしておこう！

よく出る四字熟語ベスト75

1 実《じつ》力《りょく》発《はっ》揮《き》
本来の力を十分にふるうこと

2 永《えい》久《きゅう》磁《じ》石《しゃく》
磁力をずっとたもつ磁石

3 高《こう》層《そう》建《けん》築《ちく》
階数の多い建物

4 世《よ》論《ろん》調《ちょう》査《さ》
世間の人々の意見を調べることで、せろんとも読む

5 沿《えん》岸《がん》漁《ぎょ》業《ぎょう》
近海で行われる小規模な漁業

6 政《せい》党《とう》政《せい》治《じ》
政党が議会の中心となる政治

7 学《がく》習《しゅう》意《い》欲《よく》
勉強したいというやる気

8 学《がっ》級《きゅう》日《にっ》誌《し》
学校での出来事や感想を書いておく記録

9 優《ゆう》先《せん》順《じゅん》位《い》
物事の優先される順番

10 公《こう》衆《しゅう》道《どう》徳《とく》
人として守るべき決まり・モラル

11 災《さい》害《がい》対《たい》策《さく》
災害の予防や被害を防ぐための取り組み

12 蒸《じょう》気《き》機《き》関《かん》
蒸気の圧力を利用して動力を得る熱機関

13 自《じ》己《こ》負《ふ》担《たん》
自分自身が仕事や義務、責任などを引き受けること

14 宇《う》宙《ちゅう》旅《りょ》行《こう》
宇宙空間や月、惑《わく》星などへ旅行すること

15 技《ぎ》術《じゅつ》革《かく》新《しん》
技術が進歩し、制度や組織が新しくなること

16 有《ゆう》名《めい》無《む》実《じつ》
名ばかりで、それにともなう実質のないこと

17 創《そう》立《りつ》記《き》念《ねん》
組織や建物を創立した月日を祝うこと

18 完《かん》全《ぜん》無《む》欠《けつ》
欠点や不足がまったくないこと。完ぺき

19 心《しん》機《き》一《いっ》転《てん》
何かをきっかけに、新たな気持ちや態度でのぞむこと

20 臓《ぞう》器《き》移《い》植《しょく》
提供された臓器や組織を患者に移して定着させる医療《りょう》行為

21 絶《ぜっ》体《たい》絶《ぜつ》命《めい》
追いつめられ、どうにも逃《のが》れることのできない状態

22 危《き》急《きゅう》存《そん》亡《ぼう》
危機がせまって生き残るか滅《ほろ》びるかという状況

23 負《ふ》担《たん》軽《けい》減《げん》
仕事や責任を軽くすること

24 家《か》庭《てい》訪《ほう》問《もん》
先生が生徒の家をたずねること

25 油《ゆ》断《だん》大《たい》敵《てき》
気をゆるめて失敗すること

26 郵《ゆう》便《びん》配《はい》達《たつ》
郵便物を配達すること。また、配達する人

27 首《しゅ》脳《のう》会《かい》談《だん》
政府の最高責任者が一堂に会して行う会議

28 玉《ぎょく》石《せき》混《こん》交《こう》
優《すぐ》れた物とつまらない物が混じっていること

29 半《はん》信《しん》半《はん》疑《ぎ》
うそか本当か判断に迷うこと

30 一《いっ》挙《きょ》両《りょう》得《とく》
1つの行為で、2種類の利益を得ること

31 株《かぶ》式《しき》会《がい》社《しゃ》
株式を発行して資金を調達し運営する会社

32 直《ちょく》射《しゃ》日《にっ》光《こう》
太陽の光のうち、直接地面に到達するもの

33 拡《かく》張《ちょう》工《こう》事《じ》
既存《きそん》の物のサイズを広げたり、性能を向上させたりする工事

34 国《こく》民《みん》主《しゅ》権《けん》
国の最終意志の決定権は国民にあるという、民主主義の原理

35 器《き》械《かい》体《たい》操《そう》
鉄棒・木馬・平行棒などの器械を使ってする体操

36 議《ぎ》論《ろん》百《ひゃく》出《しゅつ》
さまざまな意見が数多く出されて、活発に議論されること

37 針《しん》小《しょう》棒《ぼう》大《だい》
針くらい小さなことを棒のように大げさに言うこと

38 南《なん》極《きょく》探《たん》検《けん》
南極大陸を探検すること

39 明《めい》朗《ろう》快《かい》活《かつ》
明るく元気である様子

40 応《おう》急《きゅう》処《しょ》置《ち》
その場をしのぐために行う仮の処置のこと

41 自《じ》画《が》自《じ》賛《さん》
自分で、自分の発言や行為《い》をほめること

42 公《こう》衆《しゅう》衛《えい》生《せい》
公的な保健機関などで行われる衛生活動

43 郷《きょう》土《ど》料《りょう》理《り》
地方特有の料理

44 優《ゆう》先《せん》座《ざ》席《せき》
特定の条件の人ができるだけ座れるよう配慮《りょ》が求められている座席

45 国《こく》際《さい》親《しん》善《ぜん》
他国の人々や文化に親しみ、関心をもつこと

46 署《しょ》名《めい》活《かつ》動《どう》
ある意見に賛成する人々の同意をあつめて、そのリストを提出し、改善をうったえる活動

47 専《せん》門《もん》学《がっ》校《こう》
職業に必要な能力を育成する、専門課程のある学校

48 大《たい》器《き》晩《ばん》成《せい》
偉《い》大な人物ほど、大成するのが遅いこと

49 平《へい》和《わ》宣《せん》言《げん》
戦争を終結させる表明、または平和の継続を祈る宣言

50 専《せん》門《もん》用《よう》語《ご》
特定の業界などで使われる用語

51 速《そく》達《たつ》郵《ゆう》便《びん》
高い料金（速達料）をとって、一般の郵便物よりも早く届ける制度

52 言《ごん》語《ご》道《どう》断《だん》
言葉に表せないほどあまりにひどいこと

53 単《たん》刀《とう》直《ちょく》入《にゅう》
いきなり本題に入り要点をつく様子

54 臨《りん》機《き》応《おう》変《へん》
成り行きに合わせて適切に対応すること

55 自《じ》給《きゅう》自《じ》足《そく》
必要なものを自分で生産してまかなうこと

56 複《ふく》雑《ざつ》骨《こっ》折《せつ》
折れた骨が皮膚《ふ》を破った状態の骨折

57 空《くう》前《ぜん》絶《ぜっ》後《ご》
非常に珍《めずら》しいこと。今まで例がなく、今後もない出来事

58 宇《う》宙《ちゅう》遊《ゆう》泳《えい》
宇宙飛行士が宇宙船の外に出て活動すること。船外活動

59 天《てん》変《ぺん》地《ち》異《い》
自然界に起こる異変や災害

60 月《げっ》刊《かん》雑《ざっ》誌《し》
毎月、刊行される雑誌

61 独《どく》立《りつ》宣《せん》言《げん》
他からの独立を宣言すること。とくにアメリカの独立宣言

62 円《えん》形《けい》劇《げき》場《じょう》
舞台を中心に、円く取り囲むように観客席を配置した劇場

63 公《こう》衆《しゅう》電《でん》話《わ》
一般の人々が利用できるように、設けられた有料電話

64 宇《う》宙《ちゅう》飛《ひ》行《こう》
宇宙空間（地球の大気圏《けん》外）を飛行すること

65 人《じん》口《こう》密《みつ》度《ど》
1平方キロメートル当たりの人数のこと

66 暴《ぼう》風《ふう》警《けい》報《ほう》
暴風で重大な災害が発生するおそれがあるときに出る警報

67 栄《えい》養《よう》補《ほ》給《きゅう》
エネルギーや身体を構成する成分となる栄養素をとること

68 景《けい》気《き》対《たい》策《さく》
社会全体の経済状況を望ましい状態へ調整する方法のこと

69 鉄《てつ》道《どう》模《も》型《けい》
鉄道車両を、一定の比率で縮小した模型

70 雨《う》天《てん》順《じゅん》延《えん》
予定の日が雨の場合、晴れるまで1日ずつ日取りを延ばすこと

71 秘《ひ》密《みつ》文《ぶん》書《しょ》
部外者にもれると組織が被害を受けるような、重要な文書

72 永《えい》久《きゅう》保《ほ》存《ぞん》
廃棄《はいき》する期限を定めず、ずっと保存すること

73 推《すい》理《り》小《しょう》説《せつ》
事件・犯罪の発生と、解決に向けた経過を描いた小説

74 無《む》理《り》難《なん》題《だい》
無理な言いがかり

75 穀《こく》物《もつ》倉《そう》庫《こ》
穀物をたくわえるための倉庫

苦手克服！対義語の攻略法

●秘伝！ 共通の漢字がないペアに要注意●

意味が反対(対義語)のうち1字を書く問題。
問題に出る熟語には3パターンある。

①1字が同じで、もう1字が対になる　例…表門⇔裏門、縦糸⇔横糸
②対になる漢字をふくんでいる　例…苦痛⇔快楽(苦⇔楽)、収入⇔支出(入⇔出)
③共通の字や対の字がなく、意味を知らないと分からない　例…臨時⇔通常、権利⇔義務

どのパターンもよく出題されるが、③は意味を知らないと答えられない。
下のリストを覚えながら、意味が分からない単語はチェックしよう。
また①②の対となる漢字は、熟語の構成の対策にも役に立つ。

よく出る対義語ベスト55

①共通の漢字がある

1 裏側⇔表側
2 裏門⇔表門
3 善意⇔悪意
4 縦糸⇔横糸
5 就職⇔退職
6 干潮⇔満潮
7 異常⇔正常
8 縦長⇔横長
9 片方⇔両方
10 縦断⇔横断
11 朗報⇔悲報
12 未熟⇔成熟
13 閉館⇔開館
14 暖流⇔寒流
15 著者⇔読者
16 激減⇔激増
17 背面⇔正面
18 可決⇔否決
19 閉幕⇔開幕
20 就任⇔辞任
21 翌月⇔前月
22 暖色⇔寒色
23 善人⇔悪人
24 異質⇔同質
25 改善⇔改悪

②対になる漢字をふくむ

26 垂直⇔水平
27 苦痛⇔快楽
28 質疑⇔応答
29 困難⇔容易
30 片道⇔往復
31 単純⇔複雑
32 温暖⇔寒冷
33 延長⇔短縮
34 縮小⇔拡大
35 死亡⇔誕生
36 短縮⇔延長
37 簡単⇔複雑
38 帰宅⇔外出
39 密集⇔散在
40 自己⇔他者
41 返済⇔借用
42 将来⇔過去
43 収入⇔支出
44 危険⇔安全
45 祖先⇔子孫

③共通の漢字がない

46 臨時⇔定例
47 散乱⇔整理
48 秘密⇔公開
49 模型⇔実物
50 手段⇔目的
51 派手⇔地味
52 水源⇔河口
53 権利⇔義務
54 興奮⇔冷静
55 革新⇔保守

苦手克服！類義語の攻略法

●秘伝！ セットにしてつぶやいて覚えよう●

意味が似た言葉（類義語）の1字を書く問題。
問題に出る類義語には2パターンある。

①1字が同じで、もう1字が似た意味の漢字になる　**例**…著者＝作者、大木＝大樹
②共通の字がなく、意味を知らないと分からない　**例**…異議＝不服、宣伝＝広告

類義語は、対義語よりもコツがいる。例えば①の1字共通の熟語の場合でも、
対義語の対となる漢字（縦⇔横）（表⇔裏）はイメージしやすい。
一方、類義語の似た意味の漢字2字（自分：自己[分＝己]）（著者：作者[著＝作]）は思い出しにくい。
②のように共通の字がないならば、なおさらだ。
下のリストを使い、つぶやいたりノートに書いたりして、セットで覚えよう。

よく出る類義語ベスト55

①共通の漢字がある

1 著者＝筆者
2 大樹＝大木
3 寸前＝直前
4 翌日＝明日
5 加盟＝加入
6 自己＝自分
7 将来＝未来
8 保存＝保管
9 背後＝後方
10 著名＝有名
11 議論＝討議
12 翌週＝次週
13 感激＝感動
14 就任＝着任
15 質疑＝質問
16 改善＝改良
17 開幕＝開演
18 最善＝最良
19 設立＝創立／創設
20 方策＝方法
21 改革＝改新
22 帰郷＝帰省
23 時刻＝時間
24 異国＝外国
25 異論＝異議
26 指揮＝指図
27 注視＝注目
28 批評＝批判
29 定刻＝定時
30 単純＝簡単
31 翌年＝来年
32 散策＝散歩
33 視点＝観点
34 翌月＝来月

②共通の漢字がない

35 宣伝＝広告
36 発展＝向上
37 俳優＝役者
38 死亡＝他界
39 役割＝任務
40 賃金＝給料
41 手段＝方法
42 地域＝地区
43 始末＝処理／処分
44 住宅＝家屋
45 忠告＝助言
46 値段＝価格
47 領域＝分野
48 負担＝重荷
49 誠意＝真心
50 明朗＝快活
51 貴重＝大切
52 簡単＝容易
53 異議＝反対
54 出版＝刊行
55 収入＝所得

苦手克服！熟語作りの攻略法

●秘伝！ 熟語の意味さえ分かっていれば、こわくない●

書かれた意味をヒントに、漢字を組み合わせて二字熟語を作る、ゲームのような問題。
登場する熟語は、四字熟語、類義語、対義語、熟語の構成で出てくるものばかり。
熟語の意味さえ分かっていれば、十分に正解できる。
つまり、この問題でつまずいた人は、熟語の意味が弱点。
他のジャンルの問題を解くときも、意味を調べながら進めよう。

よく出る熟語作りベスト60

1	郷里	生まれ育った土地
2	晩年	一生の終わりに近い時期
3	簡潔	短くよくまとまっていること
4	度胸	物事をおそれない心
5	看護	病人などの手当てや世話をすること
6	欲望	ほしいと思う気持ち
7	規律	生活や行いのもとになるきまり
8	至急	非常にいそぐこと
9	敬老	お年寄りをうやまうこと
10	蒸発	液体が気体に変わること
11	否定	そうでないと打ち消すこと
12	誤報	まちがった知らせ
13	専念	一つのことに心を集中すること
14	著名	なまえが広く知れわたっていること
15	返済	借りたお金や品物をかえすこと
16	同窓	卒業した学校がおなじであること
17	神秘	人の力では考えられないような不思議
18	誠実	まじめで真心がこもっていること
19	視界	目に見えるはんい
20	推定	たぶんこうだろうと決めること
21	寸前	ほんの少しまえ
22	警告	前もって注意すること
23	未熟	まだよく実っていないこと
24	就職	新しく、ある仕事につくこと
25	検討	よく調べ、よいかどうかを考えること
26	勤勉	まじめに仕事などにはげむ様子
27	批評	よい悪いを見分けて考えを述べること
28	秘蔵	大切にしまっておくこと
29	改革	制度などをあらため、良くすること
30	補足	たりないところを付け加えること
31	創作	はじめてつくり出すこと
32	加盟	団体に仲間入りすること
33	宣言	考えや態度を表明すること
34	朗報	心が明るくなるような知らせ
35	拡張	広げて大きくすること
36	収容	人や物をある場所に入れること
37	寸断	ずたずたにたち切ること
38	指揮	さしずして人を動かすこと
39	大衆	世の中の多くの人々
40	派手	はなやかでよく目立つこと
41	価値	そのものが持っているねうち
42	除去	不要なものを取りのぞくこと
43	演奏	楽器で音楽をかなでること
44	単純	こみいっていない様子
45	著者	本などを書きあらわした人
46	開幕	もよおしなどが始まること
47	署名	文書に自分のなまえを書き記すこと
48	負傷	けがをすること
49	就任	ある役目につくこと
50	操作	機械などを動かすこと
51	奮起	勇気をふるいおこすこと
52	吸収	内部に取り入れること
53	吸引	物をすいこむこと
54	処理	物事の始末をつけること
55	登頂	山のいただきにのぼること
56	警報	人々に注意をよびかける知らせ
57	反射	光や熱が物に当たってはね返ること
58	忠告	真心をもって相手に注意すること
59	分担	物事を何人かでわけて受け持つこと
60	資源	物をつくり出すもとになるもの

苦手克服！熟語の構成の攻略法

●秘伝！ 見分けるメソッドを使えば簡単●

熟語をつくる2つの漢字の関係性を答える問題。
特に選択肢《せんたくし》ウとエの見分け方に注意。

ア　反対の意味　例…苦楽、長短、紅白
イ　同じ意味　例…価値、温暖、停止
ウ　上の字が下の字を修飾《しょく》　例…洋画（洋風の絵画）、古城（古い城）
エ　下の字から上の字に返って読むと意味がよく分かる　例…消火（火を消す）、閉店（店を閉める）

「●△」
→●は△を説明するよ。
●のような△

「●△」→△を●する。

と読むと意味が通じるよ

エのような熟語ができるのは、中国語の語順が関係している。

中国語は英語と同じように、動詞→目的語の順に表すから、日本語読みするとひっくり返るんだ。

また、エの熟語は後ろに「する」をつけると動詞になることが多いよ。

よく出る熟語の構成ベスト80

ア　反対の意味

1	公私
2	干満
3	取捨
4	難易
5	善悪
6	去来
7	寒暖
8	可否
9	乗降
10	問答
11	紅白
12	得失
13	朝晩
14	損益
15	縦横
16	当落
17	往復
18	収支
19	開閉
20	因果

イ　同じ意味

21	樹木
22	存在
23	価値
24	尊敬
25	死亡
26	自己
27	困苦
28	郷里
29	勤務
30	除去
31	映写
32	収納
33	肥満
34	善良
35	破損
36	永久
37	豊富
38	温暖
39	困難
40	表現

ウ　上の字が修飾「上っぽい下」

41	歌詞
42	特権
43	厳禁
44	短針
45	紅茶
46	寸前
47	密林
48	乳歯
49	翌週
50	視点
51	遺品
52	宝石
53	翌日
54	別冊
55	悲劇
56	食欲
57	順延
58	牛乳
59	諸国
60	古城

エ　下→上で読む「下を上する」

61	養蚕
62	看病
63	在宅
64	登頂
65	植樹
66	洗面
67	敬老
68	負傷
69	立腹
70	帰宅
71	就職
72	築城
73	閉館
74	降車
75	延期
76	就任
77	観劇
78	洗顔
79	帰郷
80	挙手

苦手克服！ 同じ読みの漢字の攻略法

●秘伝！ 例文ごと覚えて、使い分けをマスター！●

同じ読み方の漢字を書く問題。
言葉の意味と使い分けも知っておく必要がある。
使い分けのポイントは、漢字だけでなく「例文まるごと」覚えること。
どんな時に使うのかもいっしょに思い出せるから、どの字を使うか迷わないで済む！

よく出る同じ読みの漢字ベスト20

1 そなえる
- 備える：用意する　例…地震《しん》に備える
- 供える：神仏の前に差し上げる　例…神棚《だな》に供える

2 うつす
- 写す：物の形をコピーする　例…写真を写す
- 移す：移動させる　例…場所を移す
- 映す：光の反射で姿・形を見せる　例…映像を映す

3 ね
- 根：植物の根っこ　例…木の根
- 音：音。音色　例…笛の音色
- 値：値段　例…値をつける

4 はら
- 原：原っぱ。平らで広い土地　例…広大な原っぱ
- 腹：おなか。胴《どう》体の下半分　例…腹の虫がなく

5 つとめる
- 努める：努力する　例…出来るように努める
- 務める：役割を果たす。引き受ける　例…司会を務める
- 勤める：勤務する。働く　例…会社に勤める

6 しお
- 塩：食塩。おもに塩化ナトリウム　例…塩味が足りない
- 潮：海水。また潮流。海流　例…潮が引く

7 す
- 済む：物事がすっかり終わる　例…用事が済む
- 住む：居所を定めて、そこで生活する　例…都会に住む

8 てんじ
- 点字：視覚障がい者用の文字　例…点字に訳す
- 展示：数多く並べて一般に見せること　例…美術館に展示する

9 いる
- 射る：弾丸や矢を目的物に当てる　例…矢を射る
- 居る：ある場所に存在する　例…家に居る

10 かいだん
- 会談：面会して話し合うこと　例…首脳会談
- 階段：高さの異なる場所をつなぐ段々　例…急な階段を上る

11 かんげき
- 観劇：演劇を見ること。芝居《しばい》見物　例…劇場に観劇に行く
- 感激：強く心に感じ気持ちがたかぶる　例…彼《かれ》の親切に感激した

12 しきゅう
- 支給：お金や物などをはらいわたすこと　例…物資を支給する
- 至急：大急ぎで　例…大至急で届ける

13 せいか
- 生家：生まれた家　例…坂本竜馬の生家
- 聖火：神にささげる神聖な火　例…聖火リレー

14 ほうそう
- 包装：物品を包むこと。そのつつみ　例…包装紙をとっておく
- 放送：受信者へ映像・音声を送ること　例…放送にトラブルが起こる

15 こうか
- 効果：ある行為により現れるよい結果　例…薬の効果
- 降下：高いところから降りること　例…高所からの降下

16 おさめる
- 治める：統治する　例…国を治める
- 納める：収納する。決まった場所に渡す　例…税を納める

17 けいかん
- 警官：警察官。特に巡《じゅん》査のこと　例…警官が犯人を追う
- 景観：眺める景色　例…古都のうつくしい景観

18 こうそう
- 高層：階を重ねた高い建物　例…高層ビル
- 構想：今後の計画を考え、骨組みをまとめること　例…小説の構想をねる

19 こうしゅう
- 公衆：社会一般の人々　例…公衆電話
- 講習：人が集まって勉強・練習すること　例…夏期講習

20 たいしょう
- 対照：二つの事物を照らし合わせて比べること　例…対照実験
- 対象：行動やきょう味を与える相手　例…調査対象

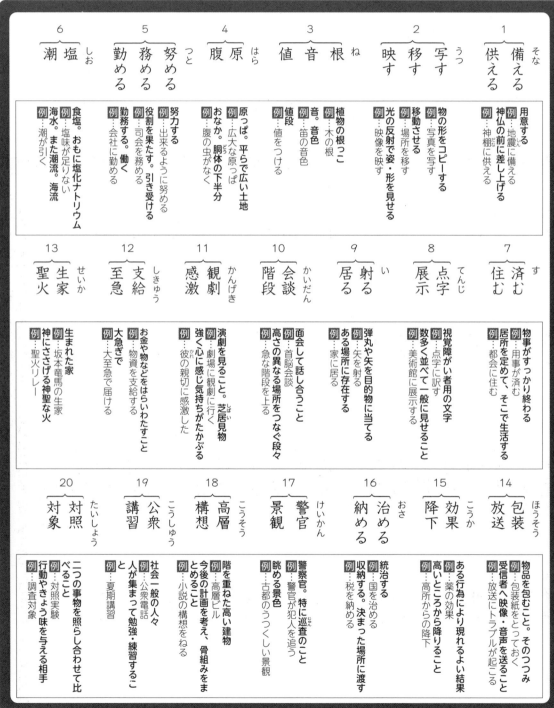

苦手克服！ 書き取りの攻略法

●秘伝！ 訓読みを得点源にする。書きまちがいに要注意●

カタカナを漢字に直す問題。読みと同様に音読みと訓読みがバランスよく出る。
つまり、訓読みがくり返し出やすいのも同じ。まず「よく出る訓読み」から覚えよう。
書き取りは他の問題に比べて正答率が低い。突き出す部分などの
漢字の細かな部分のミスが減点されていることが原因。
解答をよく見て、お手本とちがっている部分がないかチェックしよう。
自分のクセには気づきにくいので、家族や友達に採点してもらうのもひとつの方法。

よく出る書き取りベスト60

1	祭りを**モ**り上げる。	盛
2	うずを**マ**く。	巻
3	**スガタ**を現す。	姿
4	**ハイク**をよむ。	俳句
5	我を**ワス**れる。	忘
6	英語に**ヤク**す。	訳
7	**ムネ**を張る。	胸
8	列に**ナラ**ぶ。	並
9	日が**ク**れる。	暮
10	神を**オガ**む。	拝
11	雨が**フ**る。	降
12	**センモン**家。	専門
13	作法に**キビ**しい。	厳
14	**オサナ**い弟。	幼
15	栄養を**オギナ**う。	補
16	夕日に**ソ**まる。	染
17	国道**ゾ**いを走る。	沿
18	実力を**ミト**める。	認
19	ゴミを**ス**てる。	捨
20	指示に**シタガ**う。	従
21	花が咲き**ミダ**れる。	乱
22	**マド**から見える。	窓
23	便りが**トド**く。	届
24	**ゲキ**を上演する。	劇
25	ていねいに**アラ**う。	洗
26	食料を**チョゾウ**する。	貯蔵
27	速達**ユウビン**。	郵便
28	山の**イタダキ**。	頂
29	曲を**エンソウ**する。	演奏
30	試験が**ス**む。	済
31	空気を**ス**う。	吸
32	道を**カクチョウ**する。	拡張
33	ふとんを**ホ**す。	干
34	実力を**ハッキ**する。	発揮
35	しずくが**タ**れる。	垂
36	**コマ**り顔。	困
37	長い**ボウ**を持つ。	棒
38	取り**ノゾ**く。	除
39	**ゼン**は急げ。	善
40	試合で**コウフン**した。	興奮
41	詩を**ロウドク**する。	朗読
42	画面に**ウツ**る。	映
43	**キチョウ**な宝石。	貴重
44	**ワレ**を忘れる。	我
45	野菜を**キザ**む。	刻
46	**ハラ**をわる。	腹
47	**テツボウ**が苦手だ。	鉄棒
48	人を**ウタガ**う。	疑
49	**カンケツ**に伝える。	簡潔
50	**タマゴ**を産む。	卵
51	時計が**コショウ**する。	故障
52	曲を**ドクソウ**する。	独奏
53	正しい**シセイ**。	姿勢
54	準備**タイソウ**。	体操
55	日差しが目を**イ**る。	射
56	**ムズカ**しい問題。	難
57	流れが**ハゲ**しい。	激
58	**コウソウ**のビルが建つ。	高層
59	国会で**トウロン**する。	討論
60	合唱の**シキ**をする。	指揮

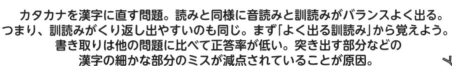

※「漢字検定」「漢検」は、公益財団法人 日本漢字能力検定協会の登録商標です。

※受検をお考えの方は、必ずご自身で公益財団法人 日本漢字能力検定協会の発表する最新情報をご確認ください。
ホームページ：https://www.kanken.or.jp/kanken/
【試験に関する問い合わせ】
・ホームページ（問い合わせフォーム）：https://www.kanken.or.jp/kanken/contact/
・電話：0120-509-315

漢検5級〔書き込み式〕問題集

編　者　資格試験対策研究会
発行者　清水美成
編集者　梅野浩太
発行所　株式会社 高橋書店
〒170-6014 東京都豊島区東池袋3-1-1 サンシャイン60 14階
電話　03-5957-7103
ISBN978-4-471-27570-9　©TAKAHASHI SHOTEN　Printed in Japan

本書の内容についてのご質問は「書名、質問事項（ページ、内容）、お客様のご連絡先」を明記のうえ、郵送、FAX、ホームページお問い合わせフォームから小社へお送りください。

回答にはお時間をいただく場合がございます。また、電話によるお問い合わせ、本書の内容を超えたご質問にはお答えできませんので、ご了承ください。本書に関する正誤等の情報は、小社ホームページもご参照ください。

【内容についての問い合わせ先】
書　面　〒170-6014 東京都豊島区東池袋3-1-1 サンシャイン60 14階　高橋書店編集部
F A X　03-5957-7079
メール　小社ホームページお問い合わせフォームから　（https://www.takahashishoten.co.jp/）

【不良品についての問い合わせ先】

ページの順序間違い・抜けなど物理的欠陥がございましたら、電話03-5957-7076へお問い合わせください。

ただし、古書店等で購入・入手された商品の交換には一切応じられません。

漢検5級〔書き込み式〕問題集

新出漢字表＆別冊解答

新出漢字表 & 別冊解答の使い方

☑ **まちがえた問題にチェックを入れよう**

「復習して、次にまちがえないこと」が合格への近道。

スマホで問題の写真を撮って見直したり、クイズにして友達に出したり、何度も思い出せる工夫をして記憶に残そう。

☑ **覚えていなかった漢字は、新出漢字表で確認しよう**

何回か書いて覚えると、記憶に残りやすく効果的。

☑ **分野ごとに得点を出して、採点表に書き込もう**

何回か続けていくことで、自分の弱点が見えてくる！

☑ **弱点分野は、本冊 P.115～の巻末資料で　集中対策しよう**

分野別攻略法 &よく出る問題リストを読めば、得点力 UP！

※解答は漢検の採点基準に基づいた標準解答です。別解が認められる場合があります。

5級新出漢字表

漢字表の見方

読み	部首	よく出る熟語	画数	筆順
音読み（カタカナ）　訓読み（ひらがな）　細字（送りがな）				

㊥㊭は中学・高校で習う読み。5級には出ない。

漢字	読み	部首	よく出る熟語	画数
胃	イ	肉《にく》	胃液　胃腸	9画
異	イ　こと	田《た》	異義　異なる	11画
遺	イ　㊥ユイ	辶《しんにょう》	遺産　遺書	15画
域	イキ	土《つちへん》	区域　地域	11画
宇	ウ	宀《うかんむり》	宇宙	6画
映	エイ　うつる　うつす　㊥はえる	日《ひへん》	反映　上映	9画
延	エン　のびる　のべる　のばす	廴《えんにょう》	延期　延長	8画
沿	エン　そう	氵《さんずい》	沿線　川沿い	8画
恩	オン	心《こころ》	恩師　謝恩	10画
我	㊥ガ　われ　㊥わ	戈《ほこづくり》	我先　我が家	7画
灰	㊥カイ　はい	火《ひ》	灰色　石灰	6画

漢字	読み	部首	よく出る熟語	画数
拡	カク	扌《てへん》	拡張　拡大	8画
革	カク　㊥かわ	革《かくのかわ》	革新　沿革	9画
閣	カク	門《もんがまえ》	閣議　内閣	14画
割	㊥カツ　わる　わり　われる　㊥さく	刂《りっとう》	割合　割る	12画
株	かぶ	木《きへん》	株式　切り株	10画
干	カン　ほす　㊥ひる	干《いちじゅう》	干潮　物干し	3画
巻	カン　まく　まき	㔾《ふしづくり》	圧巻　巻貝	9画
看	カン	目《め》	看護　看板	9画
簡	カン	⺮《たけかんむり》	簡易　書簡	18画
危	キ　あぶない　㊥あやうい　㊥あやぶむ	㔾《ふしづくり》	危険　安危	6画
机	㊥キ　つくえ	木《きへん》	勉強机	6画

漢字	読み	部首	よく出る熟語	画数
揮	キ	扌《てへん》	揮発油　指揮	12画
貴	キ　㊥たっとい　㊥とうとい　㊥たっとぶ　㊥とうとぶ	貝《かい》	貴重　富貴	12画
疑	ギ　うたがう	疋《ひき》	疑問　質疑	14画
吸	キュウ　すう	口《くちへん》	吸収　呼吸	6画
供	キョウ　㊭ク　そなえる　とも	亻《にんべん》	供給　お供え	8画
胸	キョウ　むね　㊥むな	月《にくづき》	胸囲　胸中	10画
郷	キョウ　㊥ゴウ	阝《おおざと》	郷里　故郷	11画
勤	キン　㊭ゴン　つとめる　つとまる	力《ちから》	勤め人　勤務	12画
筋	キン　すじ	⺮《たけかんむり》	筋肉　筋道	12画
系	ケイ	糸《いと》	系統　体系	7画
敬	ケイ　うやまう	攵《のぶん》	敬語　尊敬	12画
警	ケイ	言《げん》	警告　警笛	19画
劇	ゲキ	刂《りっとう》	劇薬　悲劇	15画

※部首の名称は代表的なものを掲載しています。

漢字	読み	部首	用例	画数
激	**ゲキ** **はげ**しい	氵《さんずい》	激動　感激	16画
穴	㊥**ケツ** **あな**	穴《あな》	横穴　節穴	5画
券	**ケン**	刀《かたな》	券売機　株券	8画
絹	(高)**ケン** **きぬ**	糸《いとへん》	絹糸　絹製	13画
権	**ケン** (高)**ゴン**	木《きへん》	権利　人権	15画
憲	**ケン**	心《こころ》	憲法　立憲	16画
源	**ゲン** **みなもと**	氵《さんずい》	源泉　起源	13画
厳	**ゲン** (高)**ゴン** ㊥**おごそ**か **きび**しい	⺍《つかんむり》	厳密　厳重	17画
己	**コ** ㊥**キ** ㊥**おのれ**	己《おのれ》	自己　利己	3画
呼	**コ** **よ**ぶ	口《くちへん》	呼吸　点呼	8画
誤	**ゴ** **あやま**る	言《ごんべん》	誤解　誤差	14画
后	**コウ**	口《くち》	皇后　皇太后	6画
孝	**コウ**	子《こ》	孝行　不孝	7画

漢字	読み	部首	用例	画数
皇	**コウ** **オウ**	白《しろ》	皇太子　法皇	9画
紅	**コウ** ㊥**ク** **べに** ㊥**くれない**	糸《いとへん》	紅白　口紅	9画
降	**コウ** **お**りる **お**ろす **ふ**る	阝《こざとへん》	下降　雨降り	10画
鋼	**コウ** ㊥**はがね**	金《かねへん》	鋼材　鉄鋼	16画
刻	**コク** **きざ**む	刂《りっとう》	深刻　小刻み	8画
穀	**コク**	禾《のぎへん》	穀物　雑穀	14画
骨	**コツ** **ほね**	骨《ほね》	骨折　骨身	10画
困	**コン** **こま**る	囗《くにがまえ》	困難　貧困	7画
砂	**サ** ㊥**シャ** **すな**	石《いしへん》	砂山　砂場	9画
座	**ザ** ㊥**すわ**る	广《まだれ》	座席　口座	10画
済	**サイ** **す**む **す**ます	氵《さんずい》	救済　返済	11画
裁	**サイ** ㊥**た**つ **さば**く	衣《ころも》	裁判　体裁	12画
策	**サク**	⺮《たけかんむり》	策略　政策	12画

漢字	読み	部首	用例	画数
冊	**サツ** (高)**サク**	冂《どうがまえ》	冊子　別冊	5画
蚕	**サン** **かいこ**	虫《むし》	蚕業　養蚕	10画
至	**シ** **いた**る	至《いたる》	至急　夏至	6画
私	**シ** **わたくし** **わたし**	禾《のぎへん》	私用　公私	7画
姿	**シ** **すがた**	女《おんな》	姿勢　姿見	9画
視	**シ**	見《みる》	視覚　目視	11画
詞	**シ**	言《ごんべん》	歌詞　作詞	12画
誌	**シ**	言《ごんべん》	誌面　雑誌	14画
磁	**ジ**	石《いしへん》	磁石　磁針	14画
射	**シャ** **い**る	寸《すん》	日射　注射	10画
捨	**シャ** **す**てる	扌《てへん》	捨て印　取捨	11画
尺	**シャク**	尸《しかばね》	尺八　縮尺	4画
若	㊥**ジャク** (高)**ニャク** **わか**い (高)**も**しくは	艹《くさかんむり》	若者　若葉	8画

漢字	読み	部首	用例	画数
樹	ジュ	木《きへん》	樹木　街路樹	16画
収	シュウ　おさめる　おさまる	又《また》	収入　吸収	4画
宗	シュウ　(中)ソウ	宀《うかんむり》	宗教　改宗	8画
就	シュウ　(高)ジュ　(中)つく　(中)つける	尢《だいのまげあし》	就職　去就	12画
衆	シュウ　(高)シュ	血《ち》	観衆　民衆	12画
従	ジュウ　(高)ショウ　(高)ジュ　したがう　したがえる	彳《ぎょうにんべん》	従順　服従	10画
縦	ジュウ　たて	糸《いとへん》	縦断　縦横	16画
縮	シュク　ちぢむ　ちぢまる　ちぢめる　ちぢれる　ちぢらす	糸《いとへん》	縮小　短縮	17画
熟	ジュク　(中)うれる	灬《れんが》	熟練　成熟	15画
純	ジュン	糸《いとへん》	純白　単純	10画
処	ショ	几《つくえ》	処理　対処	5画
署	ショ	罒《あみがしら》	署名　部署	13画
諸	ショ	言《ごんべん》	諸国　諸島	15画
除	ジョ　(中)ジ　のぞく	阝《こざとへん》	除外　加除	10画
承	ショウ　(中)うけたまわる	手《て》	承知　口承	8画
将	ショウ	寸《すん》	将来　大将	10画
傷	ショウ　きず　(中)いたむ　(中)いためる	亻《にんべん》	傷口　負傷	13画
障	ショウ　(高)さわる	阝《こざとへん》	障子　故障	14画
蒸	ジョウ　(中)むす　(中)むれる　(中)むらす	艹《くさかんむり》	蒸気　蒸発	13画
針	シン　はり	金《かねへん》	針路　針金	10画
仁	ジン　(中)ニ	亻《にんべん》	仁義　仁術	4画
垂	スイ　たれる　たらす	土《つち》	垂直　雨垂れ	8画
推	スイ　(中)おす	扌《てへん》	推移　推理	11画
寸	スン	寸《すん》	寸前　寸法	3画
盛	(中)セイ　(高)ジョウ　もる　(中)さかる　(中)さかん	皿《さら》	山盛り	11画
聖	セイ	耳《みみ》	聖火　神聖	13画
誠	セイ　(中)まこと	言《ごんべん》	誠意　忠誠	13画
舌	(中)ゼツ　した	舌《した》	舌先　巻舌	6画
宣	セン	宀《うかんむり》	宣言　宣伝	9画
専	セン　(中)もっぱら	寸《すん》	専門　専念	9画
泉	セン　いずみ	水《みず》	温泉　源泉	9画
洗	セン　あらう	氵《さんずい》	洗面　丸洗い	9画
染	(中)セン　そめる　そまる　(高)しみる　(高)しみ	木《き》	染め物	9画
銭	セン　(中)ぜに	金《かねへん》	銭湯　金銭	14画
善	ゼン　よい	口《くち》	善悪　改善	12画
奏	ソウ　(高)かなでる	大《だい》	演奏　合奏	9画
窓	ソウ　まど	穴《あなかんむり》	窓口　車窓	11画
創	ソウ　つくる	刂《りっとう》	創造　独創	12画
装	ソウ　(中)ショウ　(高)よそおう	衣《ころも》	仮装　服装	12画

漢字	読み	部首	用例	画数
層	ソウ	尸《しかばね》	高層　地層	14画
操	ソウ　(高)みさお　(中)あやつる	扌《てへん》	操作　体操	16画
蔵	ゾウ　(中)くら	艹《くさかんむり》	蔵書　貯蔵	15画
臓	ゾウ	月《にくづき》	臓器　内臓	19画
存	ソン　ゾン	子《こ》	存在　保存	6画
尊	ソン　たっとい　たっとぶ　とうとい　とうとぶ	寸《すん》	尊敬　本尊	12画
退	タイ　しりぞく　しりぞける	辶《しんにょう》	退出　進退	9画
宅	タク	宀《うかんむり》	宅地　帰宅	6画
担	タン　(高)かつぐ　(高)になう	扌《てへん》	担当　負担	8画
探	タン　(中)さぐる　さがす	扌《てへん》	探求　探検	11画
誕	タン	言《ごんべん》	誕生　生誕	15画
段	ダン	殳《るまた》	段落　値段	9画
暖	ダン　あたたか　あたたかい　あたたまる　あたためる	日《ひへん》	温暖　寒暖計	13画

漢字	読み	部首	用例	画数
値	チ　ね　(中)あたい	亻《にんべん》	値段　価値	10画
宙	チュウ	宀《うかんむり》	宙返り　宇宙	8画
忠	チュウ	心《こころ》	忠実　忠告	8画
著	チョ　(中)あらわす　(中)いちじるしい	艹《くさかんむり》	著作　著者	11画
庁	チョウ	广《まだれ》	庁舎　官庁	5画
頂	チョウ　いただく　いただき	頁《おおがい》	頂点　山の頂	11画
腸	チョウ	月《にくづき》	胃腸　大腸	13画
潮	チョウ　しお	氵《さんずい》	潮風　干潮	15画
賃	チン	貝《かい》	賃貸　運賃	13画
痛	ツウ　いたい　いたむ　いためる	疒《やまいだれ》	痛快　苦痛	12画
敵	テキ　(中)かたき	攵《のぶん》	宿敵　好敵手	15画
展	テン	尸《しかばね》	展示　発展	10画
討	トウ　(中)うつ	言《ごんべん》	討論　検討	10画

漢字	読み	部首	用例	画数
党	トウ	儿《ひとあし》	党派　政党	10画
糖	トウ	米《こめへん》	糖分　砂糖	16画
届	とどける　とどく	尸《しかばね》	届け出	8画
難	ナン　(高)かたい　むずかしい	隹《ふるとり》	難易　困難	18画
乳	ニュウ　ちち　(中)ち	乚《おつ》	乳歯　牛乳	8画
認	(中)ニン　みとめる	言《ごんべん》	認め印	14画
納	ノウ　(中)ナッ　(中)トウ　(高)ナ　(高)ナン　おさめる　おさまる	糸《いとへん》	納入　収納	10画
脳	ノウ	月《にくづき》	首脳　頭脳	11画
派	ハ	氵《さんずい》	派手　宗派	9画
拝	ハイ　おがむ	扌《てへん》	拝見　礼拝	8画
背	ハイ　せ　せい　(中)そむく　(中)そむける	肉《にく》	背筋　背後	9画
肺	ハイ	月《にくづき》	肺活量　心肺	9画
俳	ハイ	亻《にんべん》	俳句　俳優	10画

班	ハン	王《おうへん》	班長　各班	10画
晩	バン	日《ひへん》	晩秋　今晩	12画
否	ヒ　㊒いな	口《くち》	否認　可否	7画
批	ヒ	扌《てへん》	批判　批評	7画
秘	ヒ　㊥ひめる	禾《のぎへん》	秘密　極秘	10画
俵	ヒョウ　たわら	亻《にんべん》	土俵　米俵	10画
腹	フク　はら	月《にくづき》	腹黒い　私腹	13画
奮	フン　ふるう	大《だい》	奮起　興奮	16画
並	㊥ヘイ　なみ　ならぶ　ならべる　ならびに	一《いち》	並木　並盛り	8画
陛	ヘイ	阝《こざとへん》	陛下	10画
閉	ヘイ　とじる　㊥とざす　しめる　しまる	門《もんがまえ》	閉口　密閉	11画
片	㊥ヘン　かた	片《かた》	片側　片方	4画
補	ホ　おぎなう	衤《ころもへん》	補足　候補	12画

暮	㊥ボ　くれる　くらす	日《ひ》	夕暮れ	14画
宝	ホウ　たから	宀《うかんむり》	宝石　宝船	8画
訪	ホウ　㊥おとずれる　たずねる	言《ごんべん》	訪問　探訪	11画
亡	ボウ　㊒モウ　㊒ない	亠《なべぶた》	死亡　存亡	3画
忘	㊥ボウ　わすれる	心《こころ》	物忘れ	7画
棒	ボウ	木《きへん》	鉄棒　相棒	12画
枚	マイ	木《きへん》	枚挙　枚数	8画
幕	マク　バク	巾《はば》	幕府　閉幕	13画
密	ミツ	宀《うかんむり》	秘密　綿密	11画
盟	メイ	皿《さら》	加盟　連盟	13画
模	モ　ボ	木《きへん》	模型　規模	14画
訳	ヤク　わけ	言《ごんべん》	内訳　通訳	11画
郵	ユウ	阝《おおざと》	郵送　郵便	11画

優	ユウ　㊥やさしい　㊥すぐれる	亻《にんべん》	優先　優良	17画
預	ヨ　あずける　あずかる	頁《おおがい》	預金　預言	13画
幼	ヨウ　おさない	幺《いとがしら》	幼友達　幼虫	5画
欲	ヨク　㊒ほっする　㊥ほしい	欠《あくび》	食欲　無欲	11画
翌	ヨク	羽《はね》	翌週　翌年	11画
乱	ラン　みだれる　みだす	乚《おつ》	混乱　反乱	7画
卵	㊥ラン　たまご	卩《ふしづくり》	卵焼き　生卵	7画
覧	ラン	見《みる》	観覧　展覧	17画
裏	㊥リ　うら	衣《ころも》	裏表　裏口	13画
律	リツ　㊒リチ	彳《ぎょうにんべん》	律令　法律	9画
臨	リン　㊥のぞむ	臣《しん》	臨時　臨海	18画
朗	ロウ　㊥ほがらか	月《つき》	朗読　明朗	10画
論	ロン	言《ごんべん》	議論　討論	15画

漢検5級〔書き込み式〕問題集
別冊解答

ミニテスト解答

模擬テスト 解答・解説

第1回 ミニテスト ……本冊P4・5

1 読み
①ちゅうふく ②ちょめい ③きりつ ④かし ⑤こくもつ ⑥さが ⑦まど ⑧く ⑨したが ⑩しょうじ

2 部首と部首名
①か・コ ②う・ア ③え・オ ④お・ケ ⑤け・エ ⑥あ・キ

3 音と訓
①ウ ②ア ③エ ④エ ⑤ウ ⑥イ ⑦イ ⑧イ

4 同じ読みの漢字
①支給 ②至急 ③塩 ④潮 ⑤音 ⑥値 ⑦供 ⑧備 ⑨勤 ⑩努

5 対義語
①痛 ②困 ③秘 ④模 ⑤臨

6 書き取り
①演奏 ②俳句 ③専門 ④貴重 ⑤沿 ⑥並 ⑦巻 ⑧姿

第2回 ミニテスト ……本冊P6・7

1 読み
①がいろじゅ ②ちょうしゃ ③しょこく ④きちょう ⑤しげん ⑥かくちょう ⑦うらにわ ⑧とど ⑨ほ ⑩われ

2 送りがな
①危ない ②厳しい ③捨てる ④染める ⑤幼い

3 音と訓
①エ ②ア ③ウ ④エ ⑤ウ ⑥イ ⑦ウ ⑧ウ

4 四字熟語
①磁 ②沿 ③訪 ④欲 ⑤誌 ⑥衆 ⑦策 ⑧揮 ⑨論 ⑩担

5 熟語作り
①イ・エ（郷里） ②オ・カ（度胸） ③ア・ウ（否定）

6 類義語
①亡 ②段 ③宣 ④優 ⑤展

7 書き取り
①遺産 ②座席 ③興奮 ④将来 ⑤済 ⑥訳 ⑦拝 ⑧従

第3回 ミニテスト ……本冊P8・9

1 読み
①かんしゅう ②ちいき ③ぶしょう ④はいく ⑤かんけつ ⑥てんじ ⑦あな ⑧あやま ⑨とうと・たっと ⑩あら

2 画数
①5・6 ②6・14 ③5・7 ④8・9 ⑤6・13 ⑥1・10 ⑦6・10 ⑧6・11

3 四字熟語
①処 ②拡 ③誌 ④株 ⑤革 ⑥己 ⑦推 ⑧臓 ⑨疑 ⑩補

4 熟語の構成
①イ ②ア ③ウ ④イ ⑤ア ⑥イ ⑦エ ⑧ア ⑨イ ⑩ア ⑪イ ⑫ア

5 対義語
①奮 ②乱 ③垂 ④善 ⑤片

6 書き取り
①故障 ②討論 ③姿勢 ④鉄棒 ⑤盛 ⑥暮 ⑦激 ⑧染

第4回 ミニテスト ………本冊P10・11

1 読み
①こうふん ②えんそう ③ゆうしょう ④けんぽう ⑤しゅうきょう ⑥じゅんぱく ⑦いただき ⑧しおかぜ ⑨ま ⑩そ

2 部首と部首名
①う・ク ②か・ウ ③け・オ ④い・ア ⑤え・コ ⑥こ・ケ

3 音と訓
①ウ ②イ ③イ ④ウ ⑤ウ ⑥ウ ⑦イ ⑧エ

4 同じ読みの漢字
①生家 ②聖火 ③展示 ④点字 ⑤包装 ⑥放送 ⑦済 ⑧任 ⑨腹 ⑩原

5 対義語
①処 ②寸 ③値 ④域 ⑤著

6 書き取り
①郵便 ②宇宙 ③警察 ④資源 ⑤幼 ⑥厳 ⑦裏庭 ⑧困

第5回 ミニテスト ………本冊P12・13

1 読み
①しょぞう ②こうてつ ③きょうり ④そうりつ ⑤ばんしゅう ⑥つくえ ⑦きず ⑧も ⑨たず ⑩はら

2 送りがな
①激しく ②従っ ③並べる ④補う ⑤乱れ

3 音と訓
①イ ②ウ ③イ ④ウ ⑤エ ⑥エ ⑦イ ⑧エ

4 四字熟語
①退 ②操 ③層 ④遺 ⑤党 ⑥射 ⑦宣 ⑧片 ⑨難 ⑩臨

5 熟語作り
①ウ・オ（看護） ②イ・カ（簡潔） ③ア・エ（至急）

6 対義語
①暖 ②権 ③縦 ④縮 ⑤亡

7 書き取り
①危険 ②劇 ③優勝 ④発揮 ⑤我 ⑥胸 ⑦刻 ⑧忘

第6回 ミニテスト ………本冊P14・15

1 読み
①そうせつ ②けいとう ③すいい ④ないかく ⑤ひひょう ⑥きざ ⑦ふる ⑧なみ ⑨し ⑩すがた

2 画数
①4・7 ②5・12 ③8・10 ④4・5 ⑤8・11 ⑥7・10 ⑦8・10 ⑧8・11

3 四字熟語
①乱 ②混 ③賛 ④機 ⑤棒 ⑥単 ⑦骨 ⑧朗 ⑨敵 ⑩無

4 熟語の構成
①ウ ②エ ③ア ④エ ⑤エ ⑥イ ⑦イ ⑧エ ⑨エ ⑩ア ⑪イ ⑫エ

5 類義語
①宅 ②誠 ③賃 ④背 ⑤割

6 書き取り
①展示 ②保存 ③星座 ④指揮 ⑤届 ⑥認 ⑦吸 ⑧呼

第7回 ミニテスト ……本冊P16・17

1 読み
①こしょう ②しゃくはち ③しゅのう ④りんじ ⑤じゅえき ⑥そうさ ⑦そ ⑧た ⑨わけ ⑩おさな

2 部首と部首名
①き・ア ②お・イ ③え・オ ④あ・ク ⑤く・コ ⑥け・キ

3 音と訓
①ア ②ア ③エ ④ウ ⑤ウ ⑥イ ⑦エ ⑧ウ

4 同じ読みの漢字
①会談 ②階段 ③完結 ④簡潔 ⑤感激 ⑥観劇 ⑦等分 ⑧糖分 ⑨射 ⑩居

5 対義語
①疑 ②宅 ③縮 ④源 ⑤純

6 書き取り
①高層 ②対策 ③独奏 ④看板 ⑤窓 ⑥降 ⑦除 ⑧捨

第8回 ミニテスト ……本冊P18・19

1 読み
①ひけつ ②いさん ③せいか ④つうかい ⑤とうろん ⑥まいすう ⑦いた ⑧あたた ⑨よ ⑩ふ

2 送りがな
①刻む ②裁く ③垂れる ④認める ⑤閉める

3 音と訓
①ア ②エ ③ア ④ア ⑤ウ ⑥ウ ⑦ア ⑧イ

4 四字熟語
①挙 ②宙 ③欠 ④権 ⑤給 ⑥体 ⑦宅 ⑧異 ⑨射 ⑩臨

5 熟語作り
①ア・オ（規律） ②イ・エ（晩年） ③ウ・カ（欲望）

6 類義語
①己 ②将 ③樹 ④存 ⑤朗

7 書き取り
①簡潔 ②体操 ③価値 ④装置 ⑤頂 ⑥乱 ⑦補 ⑧腹

第9回 ミニテスト ……本冊P20・21

1 読み
①さんさく ②うんちん ③かいかく ④めいろう ⑤どくそう ⑥ふんき ⑦はげ ⑧まく ⑨うつ ⑩おさ

2 画数
①4・15 ②5・16 ③9・15 ④5・5 ⑤11・13 ⑥4・9 ⑦9・15 ⑧6・8

3 四字熟語
①存 ②絶 ③道 ④衆 ⑤欲 ⑥脳 ⑦射 ⑧専 ⑨晩 ⑩警

4 熟語の構成
①イ ②ウ ③ア ④エ ⑤ア ⑥イ ⑦エ ⑧エ ⑨エ ⑩イ ⑪ウ ⑫ア

5 対義語
①延 ②段 ③派 ④片 ⑤裏

6 書き取り
①貯蔵 ②背景 ③批評 ④模型 ⑤干 ⑥卵 ⑦洗 ⑧垂

第10回 ミニテスト ……本冊P22・23

1 読み
① ちょぞう ② けいほう ③ しんぞう ④ じゅひょう ⑤ しょめい ⑥ ぶっかく ⑦ みと ⑧ むね ⑨ ちぢ ⑩ おぎな

2 部首と部首名
① く・オ ② お・ケ ③ あ・エ ④ い・コ ⑤ こ・カ ⑥ え・ウ

3 音と訓
① ウ ② ア ③ ア ④ イ ⑤ エ ⑥ エ ⑦ ア ⑧ ウ

4 同じ読みの漢字
① 回送 ② 改装 ③ 有料 ④ 優良 ⑤ 写 ⑥ 映 ⑦ 納 ⑧ 治 ⑨ 友 ⑩ 共

5 対義語
① 盟 ② 収 ③ 忠 ④ 著 ⑤ 担

6 書き取り
① 運賃 ② 延期 ③ 拡張 ④ 雑誌 ⑤ 危 ⑥ 窓辺 ⑦ 若者 ⑧ 疑

第11回 ミニテスト ……本冊P24・25

1 読み
① ひきょう ② そらもよう ③ きんりょく ④ こうそう ⑤ しゅうろく ⑥ りゅういき ⑦ つと ⑧ きび ⑨ い ⑩ みだ

2 送りがな
① 供える ② 縮む ③ 痛む ④ 難しい ⑤ 拝む

3 音と訓
① ウ ② ア ③ イ ④ ア ⑤ ア ⑥ ウ ⑦ ア ⑧ ア

4 四字熟語
① 宇 ② 亡 ③ 奏 ④ 郷 ⑤ 策 ⑥ 私 ⑦ 捨 ⑧ 専 ⑨ 探 ⑩ 遺

5 熟語作り
① ウ・オ（視界） ② ア・エ（誠実） ③ イ・カ（未熟）

6 対義語
① 簡 ② 就 ③ 将 ④ 密 ⑤ 裏

7 書き取り
① 朗読 ② 牛乳 ③ 紅茶 ④ 宣伝 ⑤ 翌日 ⑥ 蚕 ⑦ 閉 ⑧ 善

第12回 ミニテスト ……本冊P26・27

1 読み
① しんこく ② えいぞう ③ しかい ④ しゃそう ⑤ せいじつ ⑥ もよう ⑦ じゅく ⑧ いずみ ⑨ いた ⑩ おが

2 画数
① 4・11 ② 4・7 ③ 4・10 ④ 8・14 ⑤ 7・8 ⑥ 6・9 ⑦ 3・7 ⑧ 10・11

3 四字熟語
① 延 ② 革 ③ 座 ④ 蒸 ⑤ 宝 ⑥ 操 ⑦ 射 ⑧ 処 ⑨ 優 ⑩ 郵

4 熟語の構成
① ウ ② イ ③ ウ ④ ウ ⑤ ウ ⑥ ウ ⑦ イ ⑧ ア ⑨ ウ ⑩ ウ ⑪ イ ⑫ エ

5 類義語
① 激 ② 貴 ③ 疑 ④ 論 ⑤ 翌

6 書き取り
① 地域 ② 服装 ③ 看護 ④ 推進 ⑤ 難 ⑥ 幕 ⑦ 異 ⑧ 若葉

第13回 ミニテスト ……本冊P28・29

1 読み
① しゅうにん
② けいご
③ がっそう
④ めんみつ
⑤ ようちゅう
⑥ かんごし
⑦ の
⑧ みなもと
⑨ たまご
⑩ わかば

2 部首と部首名
① か・ウ
② く・コ
③ え・キ
④ け・ア
⑤ う・エ
⑥ こ・ク

3 音と訓
① イ ⑤ ア
② ウ ⑥ ア
③ ア ⑦ エ
④ ウ ⑧ ア

4 同じ読みの漢字
① 慣習
② 観衆
③ 強度
④ 郷土
⑤ 近視
⑥ 禁止
⑦ 四季
⑧ 指揮
⑨ 志望
⑩ 死亡

5 対義語
① 異 ④ 暖
② 干 ⑤ 済
③ 己

6 書き取り
① 権利
② 温泉
③ 階段
④ 呼吸
⑤ 映
⑥ 供
⑦ 痛
⑧ 骨

第14回 ミニテスト ……本冊P30・31

1 読み
① しせい
② はんじゅく
③ ろうどく
④ こうちゃ
⑤ ゆうらんせん
⑥ しお
⑦ わす
⑧ す
⑨ とも
⑩ しろ

2 送りがな
① 割る
② 敬う
③ 困る
④ 納める
⑤ 暮れる

3 音と訓
① エ ⑤ ア
② ア ⑥ イ
③ ア ⑦ ア
④ ウ ⑧ ア

4 四字熟語
① 針 ⑥ 模
② 穀 ⑦ 郵
③ 疑 ⑧ 異
④ 視 ⑨ 純
⑤ 密 ⑩ 宣

5 熟語作り
① イ・カ（就職）
② ア・オ（蒸発）
③ ウ・エ（同窓）

6 類義語
① 革 ④ 始
② 幕 ⑤ 版
③ 論

7 書き取り
① 毎晩
② 延長
③ 郷里
④ 加盟
⑤ 絹糸
⑥ 射
⑦ 傷
⑧ 棒

第15回 ミニテスト ……本冊P32・33

1 読み
① たんとう
② ぞんぶん
③ はっき
④ たいさく
⑤ てつぼう
⑥ す
⑦ きぬ
⑧ ほね
⑨ うやま
⑩ かいこ

2 画数
① 4・12 ⑤ 6・10
② 5・8 ⑥ 8・11
③ 12・14 ⑦ 4・7
④ 3・6 ⑧ 2・18

3 四字熟語
① 装 ⑥ 己
② 異 ⑦ 脳
③ 値 ⑧ 革
④ 郷 ⑨ 創
⑤ 否 ⑩ 秘

4 熟語の構成
① ウ ⑦ ウ
② ア ⑧ エ
③ ウ ⑨ イ
④ ウ ⑩ ウ
⑤ ウ ⑪ ウ
⑥ エ ⑫ イ

5 対義語
① 吸 ④ 背
② 縦 ⑤ 未
③ 就

6 書き取り
① 模様
② 忠実
③ 枚数
④ 単純
⑤ 縮
⑥ 割
⑦ 筋
⑧ 灰色

第16回 ミニテスト …… 本冊P34・35

1 読み
① うちゅう
② つうやく
③ けんり
④ こうしゅう
⑤ しゅしょう
⑥ じゅんしん
⑦ てんこ
⑧ れきほう
⑨ のぞ
⑩ かぶ

2 部首と部首名
① け・ク
② こ・イ
③ い・ウ
④ き・コ
⑤ お・エ
⑥ か・ケ

3 音と訓
① ア
② ア
③ ア
④ イ
⑤ エ
⑥ ア
⑦ ア
⑧ ア

4 同じ読みの漢字
① 原料
② 減量
③ 司会
④ 視界
⑤ 事故
⑥ 自己
⑦ 時刻
⑧ 自国
⑨ 習慣
⑩ 週刊

5 対義語
① 異
② 善
③ 創
④ 策
⑤ 域

6 書き取り
① 筋肉
② 砂糖
③ 冊
④ 包装
⑤ 敬
⑥ 若
⑦ 縦
⑧ 至

第17回 ミニテスト …… 本冊P36・37

1 読み
① ほうこ
② えんき
③ たんじょう
④ きたく
⑤ にゅうし
⑥ まいばん
⑦ わ
⑧ こま
⑨ かわぞ
⑩ あなば

2 送りがな
① 異なる
② 疑い
③ 済ん
④ 至っ
⑤ 除く

3 音と訓
① ウ
② ア
③ ア
④ エ
⑤ ア
⑥ ア
⑦ イ
⑧ ウ

4 四字熟語
① 臨
② 宇
③ 補
④ 勤
⑤ 厳
⑥ 障
⑦ 署
⑧ 域
⑨ 源
⑩ 創

5 熟語作り
① イ・オ（警告）
② ア・カ（神秘）
③ ウ・エ（寸前）

6 対義語
① 革
② 縦
③ 存
④ 著
⑤ 視

7 書き取り
① 議論
② 頭脳
③ 内閣
④ 座
⑤ 冷蔵庫
⑥ 泉
⑦ 値段
⑧ 株

第18回 ミニテスト …… 本冊P38・39

1 読み
① いよく
② ちそう
③ ほうりつ
④ こきゅう
⑤ すいしん
⑥ たんじょうび
⑦ しんぴてき
⑧ たてが
⑨ おさ
⑩ せなか

2 画数
① 3・9
② 9・12
③ 4・8
④ 8・12
⑤ 3・10
⑥ 6・8
⑦ 2・4
⑧ 1・17

3 四字熟語
① 宣
② 暖
③ 論
④ 善
⑤ 宅
⑥ 郵
⑦ 密
⑧ 域
⑨ 模
⑩ 優

4 熟語の構成
① ウ
② イ
③ ア
④ ウ
⑤ エ
⑥ ウ
⑦ ウ
⑧ ウ
⑨ ア
⑩ ア
⑪ ウ
⑫ ウ

5 類義語
① 簡
② 批
③ 翌
④ 就
⑤ 創

6 書き取り
① 臨時
② 樹木
③ 頂上
④ 尺八
⑤ 勤
⑥ 潮
⑦ 絹
⑧ 宝

第19回 ミニテスト
本冊P40・41

1 読み
①じょうき
②きぼ
③はん
④ふたん
⑤じんけん
⑥ちゅうこく
⑦さんぱい
⑧げんせん
⑨すじ
⑩はり

2 部首と部首名
①か・コ
②あ・キ
③き・ケ
④く・ア
⑤け・カ
⑥お・オ

3 音と訓
①ア ⑤ア
②ウ ⑥ア
③ア ⑦イ
④エ ⑧ア

4 同じ読みの漢字
①機長
②貴重
③退院
④隊員
⑤店頭
⑥点灯
⑦発射
⑧発車
⑨値
⑩根

5 対義語
①異 ④否
②危 ⑤善
③誕

6 書き取り
①寸前
②骨折
③区域
④就任
⑤乳
⑥砂
⑦机
⑧裏

第20回 ミニテスト
本冊P42・43

1 読み
①かいらん
②はい
③かめい
④じゅりつ
⑤すんだん
⑥ほうそう
⑦ようさい
⑧こうほしゃ
⑨せおよ
⑩なみき

2 送りがな
①映す
②若い
③洗い
④届く
⑤忘れる

3 音と訓
①イ ⑤ウ
②ア ⑥エ
③ア ⑦ア
④ア ⑧ア

4 四字熟語
①劇 ⑥権
②討 ⑦密
③衆 ⑧専
④吸 ⑨郵
⑤就 ⑩欲

5 熟語作り
①イ・カ（推定）
②ウ・エ（宣言）
③ア・オ（返済）

6 類義語
①議 ④誕
②善 ⑤任
③揮

7 書き取り
①温暖
②感激
③改装
④班
⑤絹糸
⑥私
⑦城
⑧片道

第21回 ミニテスト
本冊P44・45

1 読み
①しょくよく
②さいばんかん
③えんどう
④はいけい
⑤す
⑥きょうど
⑦ざ
⑧じょうはつ
⑨こと
⑩かたあし

2 画数
①2・8 ⑤13・15
②4・9 ⑥6・8
③11・14 ⑦8・16
④3・10 ⑧5・8

3 四字熟語
①危 ⑥割
②策 ⑦源
③装 ⑧論
④署 ⑨刻
⑤呼 ⑩段

4 熟語の構成
①ア ⑦ウ
②ウ ⑧エ
③ウ ⑨ウ
④ウ ⑩ウ
⑤エ ⑪ウ
⑥ウ ⑫イ

5 対義語
①減 ④閉
②縦 ⑤翌
③密

6 書き取り
①創立
②推理
③展覧
④宅配
⑤筋道
⑥納
⑦裏側
⑧針

第22回 ミニテスト …………本冊P46・47

1 読み
①ほぞん ②ぶしょ ③はいかん ④ほうもん ⑤ほうしん ⑥どくそうてき ⑦ぎゅうにゅう ⑧かいまく ⑨せ ⑩かぶわ

2 部首と部首名
①え・キ ②こ・カ ③い・オ ④き・ア ⑤う・ウ ⑥お・ク

3 音と訓
①イ ②ア ③ウ ④ア ⑤ア ⑥ア ⑦ア ⑧ウ

4 同じ読みの漢字
①快晴 ②改正 ③公衆 ④講習 ⑤効果 ⑥高価 ⑦西洋 ⑧静養 ⑨約 ⑩訳

5 対義語
①盟 ②異 ③賛 ④純 ⑤刻

6 書き取り
①就職 ②食欲 ③映画 ④困難 ⑤裁 ⑥片側 ⑦動 ⑧認

第23回 ミニテスト …………本冊P48・49

1 読み
①ずのう ②くいき ③たいようけい ④ぼう ⑤ひほう ⑥さば ⑦うたが ⑧わか ⑨よ ⑩すなやま

2 送りがな
①危ない ②誤っ ③染まる ④頂く ⑤幼い

3 音と訓
①ア ②ア ③ア ④イ ⑤ア ⑥ア ⑦ア ⑧ウ

4 四字熟語
①存 ②宙 ③延 ④己 ⑤遺 ⑥収 ⑦模 ⑧策 ⑨郵 ⑩域

5 熟語作り
①イ・オ（開幕） ②ウ・カ（勤勉） ③ア・エ（批評）

6 対義語
①朗 ②異 ③可 ④私 ⑤尊

7 書き取り
①密度 ②磁石 ③訪問 ④深刻 ⑤黒潮 ⑥値 ⑦片方 ⑧背

第24回 ミニテスト …………本冊P50・51

1 読み
①てんぼうだい ②じぞう ③ぜっちょう ④ぞうき ⑤もしゃ ⑥じゅうだん ⑦ちち ⑧ねあ ⑨くびすじ ⑩うら

2 画数
①4・6 ②4・6 ③4・6 ④9・15 ⑤4・9 ⑥3・11 ⑦3・6 ⑧13・18

3 四字熟語
①宇 ②拡 ③映 ④層 ⑤策 ⑥善 ⑦呼 ⑧源 ⑨磁 ⑩臨

4 熟語の構成
①ア ②ウ ③エ ④ウ ⑤イ ⑥ア ⑦イ ⑧イ ⑨エ ⑩ウ ⑪エ ⑫ア

5 類義語
①郷 ②敬 ③刻 ④処 ⑤視

6 書き取り
①担任 ②裁判 ③遊覧 ④沿岸 ⑤警備 ⑥奮 ⑦派手 ⑧灰

第25回 ミニテスト　本冊P52・53

1 読み
① ようさん
② ほぞん
③ おうざ
④ ぎろん
⑤ けいそう
⑥ こくほう
⑦ ふしょう
⑧ ようしょう
⑨ しお
⑩ ちゅうがえ

2 部首と部首名
① く・エ
② う・イ
③ お・ウ
④ え・ク
⑤ こ・ケ
⑥ あ・ア

3 音と訓
① ア　⑤ ウ
② イ　⑥ エ
③ ア　⑦ ア
④ ア　⑧ エ

4 同じ読みの漢字
① 効果
② 降下
③ 照明
④ 証明
⑤ 伝統
⑥ 電灯
⑦ 容易
⑧ 用意
⑨ 呼
⑩ 寄

5 対義語
① 逆　④ 善
② 祖　⑤ 閉
③ 収

6 書き取り
① 観衆
② 郷土
③ 敬語
④ 合奏
⑤ 規模
⑥ 片時
⑦ 紅
⑧ 夕暮

第26回 ミニテスト　本冊P54・55

1 読み
① けいざいがく
② おんせん
③ かんご
④ そんちょう
⑤ たんにん
⑥ てんしゅかく
⑦ さとう
⑧ ようじ
⑨ あぶ
⑩ はい

2 送りがな
① 疑う
② 勤める
③ 従う
④ 縮んだ
⑤ 乱れる

3 音と訓
① イ　⑤ ア
② ア　⑥ ア
③ ア　⑦ ア
④ ウ　⑧ ウ

4 四字熟語
① 存　⑥ 呼
② 遺　⑦ 専
③ 奏　⑧ 欲
④ 郵　⑨ 訳
⑤ 源　⑩ 補

5 熟語作り
① ア・エ（検討）
② ウ・オ（収容）
③ イ・カ（寸断）

6 類義語
① 善　④ 退
② 示　⑤ 展
③ 視

7 書き取り
① 穀物
② 政党
③ 聖火
④ 至急
⑤ 背筋
⑥ 奮
⑦ 預
⑧ 穴

第27回 ミニテスト　本冊P56・57

1 読み
① いっすん
② しりょく
③ きけん
④ ごかい
⑤ しきゅう
⑥ だいきぼ
⑦ よくじつ
⑧ ちょしゃ
⑨ せいざ
⑩ わりびきけん

2 画数
① 8・10　⑤ 8・9
② 7・9　⑥ 3・4
③ 7・10　⑦ 13・16
④ 8・11　⑧ 2・7

3 四字熟語
① 異　⑥ 除
② 泉　⑦ 密
③ 警　⑧ 宣
④ 処　⑨ 補
⑤ 刻　⑩ 郵

4 熟語の構成
① エ　⑦ ウ
② ウ　⑧ ア
③ イ　⑨ ウ
④ ウ　⑩ エ
⑤ エ　⑪ エ
⑥ ウ　⑫ ウ

5 対義語
① 難　④ 縮
② 縦　⑤ 暖
③ 善

6 書き取り
① 帰宅
② 担当
③ 脳
④ 俳優
⑤ 冷蔵
⑥ 骨身
⑦ 盛
⑧ 舌

第28回 ミニテスト ……本冊P58・59

1 読み
①ばんねん
②しゅくしょう
③しょうらい
④せんでん
⑤ていこく
⑥てっきん
⑦しょくじゅ
⑧さが
⑨ふる
⑩かた

2 部首と部首名
①お・イ
②こ・ケ
③く・ア
④か・ウ
⑤あ・コ
⑥け・カ

3 音と訓
①ア
②エ
③ア
④イ
⑤ア
⑥ア
⑦ア
⑧ウ

4 同じ読みの漢字
①前進
②全身
③表現
④氷原
⑤独創
⑥独奏
⑦伝記
⑧電気
⑨友好
⑩有効

5 対義語
①誠
②段
③著
④俳
⑤翌

6 書き取り
①誕生
②解除
③憲法
④視界
⑤尊敬
⑥散策
⑦巻
⑧暮

第29回 ミニテスト ……本冊P60・61

1 読み
①たんさ
②とうじ
③けいかん
④たいそう
⑤すんぜん
⑥てんらんかい
⑦とうぎ
⑧まんぷく
⑨ちぢ
⑩う

2 送りがな
①敬う
②誤る
③済む
④暮れる
⑤忘れ

3 音と訓
①ア
②ア
③ウ
④イ
⑤ア
⑥ア
⑦エ
⑧イ

4 四字熟語
①革
②映
③延
④己
⑤券
⑥供
⑦専
⑧操
⑨存
⑩臨

5 熟語作り
①ア・エ（貴重）
②ウ・カ（指揮）
③イ・オ（負傷）

6 対義語
①干
②吸
③就
④閉
⑤密

7 書き取り
①宝庫
②納税
③王座
④翌週
⑤背泳
⑥姿
⑦針金
⑧石段

第30回 ミニテスト ……本冊P62・63

1 読み
①しゅうぎいん
②かし
③がいろじゅ
④かんらんしゃ
⑤きちょう
⑥こうふん
⑦しゅくしゃく
⑧すがた
⑨きず
⑩わかば

2 画数
①9・11
②12・18
③10・12
④10・13
⑤6・12
⑥3・12
⑦7・8
⑧4・5

3 四字熟語
①難
②訪
③株
④承
⑤針
⑥揮
⑦射
⑧臓
⑨推
⑩沿

4 熟語の構成
①イ
②エ
③ウ
④ウ
⑤イ
⑥ア
⑦ウ
⑧ウ
⑨ウ
⑩ウ
⑪エ
⑫イ

5 類義語
①割
②収
③忠
④背
⑤存

6 書き取り
①改革
②降水
③自己
④専用
⑤糖分
⑥囲
⑦胸
⑧忘

第1回 模擬テスト 解答・解説

本冊 P.66〜71

(一) 読み

① しゅうにん
② えんそう
③ おん
④ かいそう
⑤ こくもつ
⑥ ぞんぶん
⑦ ひひょう
⑧ ひほう
⑨ まいすう
⑩ ようじ
⑪ でんしょう
⑫ の
⑬ きぬ
⑭ い
⑮ た
⑯ も
⑰ いた
⑱ と
⑲ わけ
⑳ いずみ

ワンポイント

読み

①**就任**
ある任務・職務につく。

⑦**批評**
物事に対して、自分の評価を述べること。良い点も悪い点も指摘する。

⑫**延ばす**
時間や日時をおくらせる。

伸ばす
長さや広さをふやす。勢力を大きくする。

⑬**絹**
音読みは「ケン」。訓読み「きぬ」を問う問題が多い。

⑲**訳**
「ヤク」は音読み。「わけ」が訓読み。音と訓の問題でもよく出る。

⑳**泉**
「いずみ」は訓読み。音読みは「セン」。

(二) 部首と部首名

① か　② オ
③ い　④ ア
⑤ あ　⑥ キ
⑦ こ　⑧ ケ
⑨ け　⑩ エ

(三) 画数

① 12　② 14
③ 8　④ 9
⑤ 3　⑥ 5
⑦ 7　⑧ 10
⑨ 8　⑩ 11

(四) 送りがな

① 異なる
② 危ない
③ 刻む
④ 納める
⑤ 乱れる

ワンポイント

部首と部首名

①**敬**
部首の「のぶん」は「ぼくづくり」ともいう。

画数

③**皇**
王の書き順「→↓→→」に注意。

送りがな

②**危ない**
「な」に要注意。「幼い」「補う」「失う」は「な」は書かない。

④**納める**
同じ読みの漢字でもよく出る。

・**納める**
収納する。お金や物を受けわたすこと。

・**治める**
国などを統治すること。

・**修める**
学んで身につけること。

(五) 音と訓(ひらがな:訓　カタカナ:音)

① イ　旧《キュウ》型《がた》
② ア　参《サン》拝《パイ》
③ ア　蒸《ジョウ》発《ハッ》
④ イ　新《シン》顔《がお》
⑤ ウ　節《ふし》穴《あな》
⑥ イ　茶《チャ》色《いろ》
⑦ エ　道《みち》順《ジュン》
⑧ イ　派《ハ》手《で》
⑨ ア　明《メイ》朗《ロウ》
⑩ ウ　裏《うら》庭《にわ》

(六) 四字熟語

① 宙
② 己
③ 論
④ 舌
⑤ 専
⑥ 創
⑦ 骨
⑧ 優
⑨ 域
⑩ 郵

ワンポイント

四字熟語

①**宇宙開発**
人類が宇宙へ進出するために行う調査や活動。

③**世論調査**
政策などへの人々の意見を調べること。世論は「せろん」「よろん」と読む。

④**舌先三寸**
口先だけでうまく相手をあしらうこと。口先三寸は誤り。

⑤**専業農家**
農業だけで生計を立てる農家⇔兼業農家。

⑥**天地創造**
神が天と地をつくり、世界が始まったという神話。

⑦**複雑骨折**
骨が皮膚から飛び出た状態の骨折。治療が複雑なことから。開放骨折ともいう。

⑧**優先座席**
高齢者や体の不自由な方が優先的に利用できる座席。

⑨**地域社会**
一定の地域に住む人々からなる社会。

(七) 対義語・類義語

① 縦
② 背
③ 片
④ 視
⑤ 臨
⑥ 郷
⑦ 亡
⑧ 版
⑨ 宣
⑩ 賃

(八) 熟語作り

① エ・ケ（吸収）
② ア・コ（故障）
③ ウ・キ（著名）
④ イ・カ（度胸）
⑤ オ・ク（訪問）

ワンポイント

対義語

①**横断 ⇔ 縦断**
②**正面 ⇔ 背面**
③**往復 ⇔ 片道**
④**尊重 ⇔ 無視**
⑤**通常 ⇔ 臨時**

類義語

⑥**帰省 ＝ 帰郷**
故郷へ帰ること。
⑦**他界 ＝ 死亡**
⑧**発行 ＝ 出版**
⑨**広告 ＝ 宣伝**
⑩**給料 ＝ 賃金**

熟語作り

①**吸収**…自分の中に取りこむこと。
②**故障**…正常にはたらかなくなること。
③**著名**…世の中に名が知られていること。
④**度胸**…何かが起きても動じない心。
⑤**訪問**…人や家をたずねること。

(九) 熟語の構成

① エ
② ア
③ イ
④ エ
⑤ ウ
⑥ ウ
⑦ エ
⑧ エ
⑨ ア
⑩ ア

(十) 同じ読みの漢字

① 感激
② 観劇
③ 公衆
④ 講習
⑤ 構想
⑥ 高層
⑦ 対照
⑧ 対象
⑨ 務
⑩ 勤

ワンポイント

熟語の構成

①**築城**…築く ← 城を
②**得失**…得る ⇔ 失う
③**服従**…服する ＝ 従う
④**養蚕**…養う ← 蚕を
⑤**灰色**…灰の → 色
⑥**遺品**…遺された → 品
⑦**在宅**…在る ← 自宅に
⑧**植樹**…植える ← 樹を
⑨**寒暖**…寒い ⇔ 暖かい
⑩**善悪**…善 ⇔ 悪

同じ読みの漢字

①**感激**
感動して心が動くこと。
②**観劇**
劇を観ること。
③**公衆**
社会一般の人々。
④**講習**
指導を受け学ぶこと。
⑤**構想**
今後の計画について考えをめぐらすこと。
⑥**高層**
高く階が重なること。
⑦**対照**
照らし合わせること。
⑧**対象**
働きかける目標物。
⑨**務める**
役割を果たす。
⑩**勤める**
勤務する。

(十一) 書き取り

① 胃腸
② 看板
③ 簡潔
④ 散策
⑤ 指揮
⑥ 政党
⑦ 土俵
⑧ 冷蔵庫
⑨ 映
⑩ 割
⑪ 巻
⑫ 筋
⑬ 厳
⑭ 黒潮
⑮ 至
⑯ 染
⑰ 若葉
⑱ 針
⑲ 洗
⑳ 捨

ワンポイント

書き取り

①**胃腸**
胃は最近7級→5級へ移動した漢字。要注意。
④**散策**
ぶらぶらすること。散歩。
⑥**政党**
共通の政治方針を持つ人の集まり。
⑧**冷蔵庫**
同じ読みの「臓」も5級の漢字。人の体にかかわるものは「臓」を使う。
⑩**割**
「割る」と送りがながつく場合と、つかない場合があるので注意。
⑫**筋**
音読みは「キン」。訓読み「すじ」がよく出される。
⑭**黒潮**
日本の南を流れる海流。水の透明度が高く、青黒く見えることから。
⑮**至る**
ある所・時・状態に行き着くこと。

第2回 模擬テスト 解答・解説

本冊 P.72〜77

(一) 読み

① ちゅうこく
② めいろう
③ かくちょう
④ けいとう
⑤ しょうらい
⑥ すいい
⑦ そんちょう
⑧ つうやく
⑨ ようちゅう
⑩ かんしゅう
⑪ あな
⑫ ほね
⑬ す
⑭ しお
⑮ おぎな
⑯ いた
⑰ たから
⑱ わす
⑲ うやま
⑳ く

ワンポイント

読み

①**忠告**
忠＝真心。真心をもって相手の悪い所を指摘し、直すようにすすめること。

②**明朗**
性格が明るくほがらかなこと。不正や隠しごとがないこと。

④**系統**
一定のルールに従って、続いているつながり。

⑦**尊重**
価値あるもの、尊いものとして大切にあつかうこと。

⑩**観衆**
大勢の見物人。

⑫**骨**
音読みは「コツ」。「骨のある人」は、自分の信念を曲げない強い意志をもった人。

⑭**潮**
音読みは「チョウ」。周期的に起こる海面の昇降。

⑮**補う**
送りがなで「な」は書かない。送りがなの問題でもよく出る。

⑲**敬う**
相手を尊んで、礼をつくすこと。

(二) 部首と部首名

① こ　② イ
③ お　④ コ
⑤ い　⑥ ア
⑦ け　⑧ エ
⑨ あ　⑩ カ

(三) 画数

① 6　② 14
③ 5　④ 12
⑤ 4　⑥ 7
⑦ 6　⑧ 10
⑨ 6　⑩ 10

(四) 送りがな

① 割る
② 激しい
③ 縮む
④ 染める
⑤ 若さ

ワンポイント

部首と部首名

⑤**庁**
部首「まだれ」は建物に関する漢字が多い。「庁」は役所の意味。

画数

⑨**陛**
阝は3画。比は4画で書く。どこを続けて書くのかを注意して覚えよう。

送りがな

②**激しい**
形容詞は「しい」を送りがなとすることが多い。

③**縮む**
動詞は活用語尾（続く言葉によって変わる部分）から送りがなにすることが多い。
・「縮ま」ない
・「縮む」とき
→「ま」や「む」から送りがなをつける。

④**染める**
「染まる」「染める」の区別がつくように送りがなをつける。

(五) 音と訓（ひらがな：訓　カタカナ：音）

① ウ　巻《まき》紙《がみ》
② エ　絹《きぬ》製《セイ》
③ ウ　口《くち》紅《べに》
④ ウ　縦《たて》糸《いと》
⑤ ア　諸《ショ》国《コク》
⑥ ウ　生《なま》傷《きず》
⑦ イ　味《ミ》方《かた》
⑧ エ　手《て》順《ジュン》
⑨ ア　登《トウ》頂《チョウ》
⑩ ア　預《ヨ》金《キン》

(六) 四字熟語

① 欠
② 給
③ 宙
④ 磁
⑤ 誌
⑥ 論
⑦ 混
⑧ 障
⑨ 体
⑩ 銭

ワンポイント

四字熟語

①**完全無欠**
欠点や不足がまったくないこと。

②**自給自足**
必要なものを自分で生産してまかなうこと。

④**方位磁石**
磁石を使った、方位を知るための道具。コンパス。

⑥**議論百出**
意見が数多く出て、活発に議論されること。

⑦**玉石混交**
優れたものとつまらないものが混じること。「混淆」とも書く。

⑧**安全保障**
自己の安全を確保し、命と財産を守ること。特に国の防衛の意味で使われる。

⑨**絶体絶命**
困難・危険から逃れられない様子。「絶対」と書くのは誤り。

⑩**無銭飲食**
飲食店で代金を払わずに飲み食いすること。

（七） 対義語・類義語

① 可
② 革
③ 痛
④ 疑
⑤ 済
⑥ 始
⑦ 刻
⑧ 創
⑨ 翌
⑩ 段

（八） 熟語作り

① ア・コ（郷里）
② オ・カ（在宅）
③ エ・キ（署名）
④ ウ・ク（単純）
⑤ イ・ケ（晩年）

ワンポイント

対義語

①**否決 ⇔ 可決**
②**保守 ⇔ 革新**
③**快楽 ⇔ 苦痛**
④**応答 ⇔ 質疑**
⑤**借用 ⇔ 返済**

類義語

⑥**処理 ＝ 始末**
⑦**時間 ＝ 時刻**
⑧**設立 ＝ 創立**
⑨**次週 ＝ 翌週**
⑩**方法 ＝ 手段**

熟語作り

①**郷里**…生まれ育った場所。ふるさと。
②**在宅**…家にいること。
③**署名**…自分の名を記すこと。
④**単純**…まじっていないこと。
⑤**晩年**…一生の終わりごろ。

（九） 熟語の構成

① ウ
② ウ
③ エ
④ ウ
⑤ イ
⑥ ア
⑦ ウ
⑧ エ
⑨ イ
⑩ ウ

（十） 同じ読みの漢字

① 天候
② 転校
③ 店頭
④ 点灯
⑤ 写
⑥ 映
⑦ 修
⑧ 納
⑨ 腹
⑩ 原

ワンポイント

熟語の構成

①**悲劇**…悲しい → 劇
②**歌詞**…歌の → 詞
③**看病**…看る ← 病を
④**胸中**…胸の → 中
⑤**自己**…自 ＝ 己
⑥**難易**…難 ⇔ 易
⑦**善意**…善い → 意思
⑧**拝顔**…拝む ← 顔を
⑨**価値**…価 ＝ 値
⑩**常備**…常に → 備える

同じ読みの漢字

①**天候**
5日～1か月の天気の状態。
②**転校**
生徒が他の学校に移ること。
③**店頭**
店先。
④**点灯**
明かりをつけること。
⑤**写す**
絵や字の形をコピーすること。
⑥**映す**
映像など光を通して形を現すこと。
⑦**修める**
学んで身につけること。
⑧**納める**
収納すること。お金やものを受けわたすこと。

（十一） 書き取り

① 加盟
② 視界
③ 専門
④ 展示
⑤ 批評
⑥ 秘密
⑦ 沿岸
⑧ 就任
⑨ 資源
⑩ 装置
⑪ 異
⑫ 干
⑬ 机
⑭ 勤
⑮ 窓
⑯ 射
⑰ 除
⑱ 盛
⑲ 泉
⑳ 誤

ワンポイント

書き取り

①**加盟**
団体や組織に参加すること。
②**視界**
目で見通すことのできる範囲。
③**専門**
「専」の右上に点はつかない（博は点がつく）。「門」は口を入れない（問にしない）。
⑦**沿岸**
海・川・湖の岸に近い部分。
⑩**装置**
機械・道具・設備などを備えつけること。またそのしかけのこと。
⑪**異なる**
送りがなの問題でもよく出る。「な」から送りがなをつける。
⑯**射る**
弓で撃つこと。「得る」と区別しよう。
⑱**盛る**
積み上げること。「さか(る)」は中学で習う読み。
⑳**誤る**
ミスをすること。同じ読みの「謝る」も覚えよう。

第3回

模擬テスト　解答・解説

本冊 P.78〜83

(一)　読み

①てっきん
②こしょう
③ぜっちょう
④たいようけい
⑤はいく
⑥ほぞん
⑦じょうはつ
⑧ゆうしょう
⑨じゅんしん
⑩ろうどく
⑪せんとう
⑫むね
⑬こと
⑭かぶ
⑮はげ
⑯あやま
⑰したが
⑱みなもと
⑲ま
⑳あら

ワンポイント

読み

①**鉄筋**
コンクリートを強化するために中に埋め込まれる鋼材。

③**絶頂**
山の頂上。最高の状態。

⑤**俳句**
「俳」を含む熟語は他に「俳優」などがある。

⑦**蒸発**
液体が表面から気化すること。

⑨**純真**
心にけがれがないこと。

⑩**朗読**
大きく声に出して読む。

⑪**銭湯**
「セン」は音読み。訓読みは「ぜに」。

⑭**株**
「かぶ」は訓読み。切り株や株式という意味。

⑰**従う**
「が」は書かない。送りがなの問題でもよく出る。

(二)　部首と部首名

①け　②コ
③い　④ア
⑤き　⑥オ
⑦く　⑧キ
⑨お　⑩カ

(三)　画数

①8　②11
③7　④12
⑤10　⑥11
⑦4　⑧11
⑨3　⑩9

(四)　送りがな

①敬う
②捨てる
③並べる
④忘れ
⑤難しい

ワンポイント

部首と部首名

③**腹**
部首「にくづき」は体に関する漢字が多い。同じ形の部首「つきへん」の漢字は服があり、体とは関係ない。

画数

③**裁**
土→衣→ほこづくり（右側）の順に書く。

送りがな

②**捨てる**
後ろにつく言葉が変わっても「て」は変化しないが、送りがなにする。

③**並べる**
他に送りがなをつけず一字で「なみ」とも読む。

(五)　音と訓（ひらがな：訓　カタカナ：音）

①ウ　割引《わりびき》
②ウ　絹糸《きぬいと》
③エ　砂地《すなジ》
④イ　仕事《シごと》
⑤イ　茶柱《チャばしら》
⑥ウ　片道《かたみち》
⑦ウ　針金《はりがね》
⑧ア　疑問《ギモン》
⑨ア　官庁《カンチョウ》
⑩エ　石段《いしダン》

(六)　四字熟語

①劇
②欲
③勤
④承
⑤署

⑥晩
⑦宅
⑧密
⑨衆
⑩権

ワンポイント

音と訓

②「ケンシ」とも読むが、5級では範囲外の読み。訓読みが出る。

四字熟語

①**円形劇場**
客席が舞台を取り囲む劇場。コロセウムなど。

④**口承文学**
口伝えで伝承される文芸作品。

⑤**署名運動**
社会問題などに関して同意する人の署名を集める活動。

⑥**大器晩成**
大きな器は完成まで時間がかかるように、偉大な人物も大成するのが遅いということ。

⑨**公衆電話**
一般の人が使えるよう街中や店先に設置された有料電話。

⑩**権利行使**
与えられた権利を使うこと。

(七) 対義語・類義語

① 尊
② 暖
③ 模
④ 縮
⑤ 縦
⑥ 論
⑦ 展
⑧ 域
⑨ 揮
⑩ 創

ワンポイント

対義語
① 無視 ⇔ 尊重
② 寒流 ⇔ 暖流
③ 実物 ⇔ 模型
④ 拡大 ⇔ 縮小
⑤ 横断 ⇔ 縦断

類義語
⑥ 討議 ＝ 議論
⑦ 進歩 ＝ 発展
⑧ 分野 ＝ 領域
⑨ 指図 ＝ 指揮
⑩ 設立 ＝ 創設

(八) 熟語作り

① イ・カ（規律）
② オ・ケ（興奮）
③ エ・ク（専念）
④ ウ・コ（忠実）
⑤ ア・キ（著者）

熟語作り
① **規律**…人のおこないの基準、決まり。
② **興奮**…気持ちが高ぶること。
③ **専念**…特定のことに集中すること。
④ **忠実**…真心をこめてつとめるさま。
⑤ **著者**…作品を書いた人。

(九) 熟語の構成

① イ
② イ
③ ウ
④ ウ
⑤ ア
⑥ エ
⑦ エ
⑧ ウ
⑨ エ
⑩ ア

ワンポイント

熟語の構成
① **納入**…納 ＝ 入
② **映写**…映 ＝ 写
③ **国宝**…国の → 宝
④ **城主**…城の → 主
⑤ **安危**…安全 ⇔ 危険
⑥ **就職**…就く ← 職に
⑦ **除草**…除く ← 草を
⑧ **翌年**…翌（次の）→ 年
⑨ **開幕**…開ける ← 幕を
⑩ **損益**…損 ⇔ 益

(十) 同じ読みの漢字

① 快晴
② 改正
③ 完結
④ 簡潔
⑤ 自信
⑥ 自身
⑦ 西洋
⑧ 静養
⑨ 供
⑩ 備

同じ読みの漢字
① **快晴**
雲がほとんどない晴れ。
② **改正**
ルールを改めること。
⑤ **自信**
自分の価値・能力を信じること。
⑥ **自身**
自分みずから。
⑦ **西洋**
ヨーロッパやアメリカの国々の総称。
⑧ **静養**
心身を静かに休めて健康の回復をはかること。
⑨ **供える**
神仏に物をささげる。
⑩ **備える**
前もって準備する。

(十一) 書き取り

① 厳禁
② 寸前
③ 対策
④ 乳歯
⑤ 背景
⑥ 班
⑦ 預金
⑧ 温泉
⑨ 体操
⑩ 反射
⑪ 沿
⑫ 灰
⑬ 拝
⑭ 私
⑮ 若
⑯ 垂
⑰ 閉
⑱ 幼
⑲ 値
⑳ 骨

ワンポイント

書き取り
① **厳禁**
厳重に禁止すること。
② **寸前**
ほんのわずか手前。寸は長さの単位で約3㎝。
④ **乳歯**
生後6か月ごろから10歳前後までの歯。
⑦ **預金**
銀行などに金銭を預けること。そのお金。
⑩ **反射**
光・音などがはねかえること。
⑫ **灰**
画数でもよく出る。1画目は横画。2画目は左払い。
⑬ **拝む**
神仏に手を合わせ頭を下げること。右のつくりの縦棒は上につき出さない。
⑭ **私**
「わたくし」とも読む。
⑯ **垂れる**
画数でもよく出る。縦画と横画の順序も覚えよう。
⑱ **幼い**
年が少ないこと。左側（いとがしら）は3画で書く。

第4回 模擬テスト 解答・解説

本冊 P.84～89

(一) 読み

①てんじ
②けん
③りゅういき
④いさん
⑤ちょめい
⑥そうりつ
⑦しかい
⑧きょうり
⑨しゅうぎいん
⑩ふしょう
⑪かたあし
⑫えまきもの
⑬とも
⑭きざ
⑮した
⑯そ
⑰す
⑱とど
⑲せ
⑳あたた

ワンポイント

読み

②**券**
最近6級→5級に移動した漢字。

③**流域**
降った雨や雪が、その川に流れこむエリア。

④**遺産**
故人や前の時代の人がのこした財産や業績。「遺」は「ユイ」とも読む。

⑧**郷里**
音読みで「キョウリ」。

⑨**衆議院**
日本の国会を構成する議院の一つ。

⑫**絵巻物**
主に平安・鎌倉時代の絵画形式で、絵や言葉で物語を表現したもの。

⑬**供**
「そな(える)」とも読み、同じ読みの漢字でよく出る。

⑮**舌**
音読みは「ゼツ」だが、訓読みで出されることが多い。「べろ」とは読まない。

(二) 部首と部首名

①お ②オ
③え ④コ
⑤あ ⑥ウ
⑦く ⑧キ
⑨き ⑩ケ

(三) 画数

①5 ②8
③4 ④10
⑤2 ⑥18
⑦6 ⑧11
⑨6 ⑩7

(四) 送りがな

①困る
②除く
③拝む
④裁く
⑤暮れる

ワンポイント

部首と部首名

③**推**
部首「てへん」は手の動作にかかわる漢字が多い。
右側の「隹」は「ふるとり」と読み、鳥に関係した漢字の部首になる。

画数

⑤**臨**
左側の「臣」の書き順に注意。1画目は左の縦。2画目以降は横線を上から書いていく。

⑨**批**
右の「比」は4画で書く。

送りがな

⑤**暮れる**
「暮らす」「暮れる」の区別がつくように送りがなをつける。

(五) 音と訓(ひらがな:訓 カタカナ:音)

①イ 王《オウ》様《さま》
②エ 若《わか》気《ゲ》
③ウ 潮《しお》風《かぜ》
④ア 補《ホ》助《ジョ》
⑤ウ 灰《はい》皿《ざら》
⑥ア 拡《カク》張《チョウ》
⑦ア 誤《ゴ》答《トウ》
⑧ア 座《ザ》高《コウ》
⑨ア 訪《ホウ》問《モン》
⑩エ 裏《うら》地《ジ》

(六) 四字熟語

①宣
②挙
③革
④善
⑤厳

⑥郵
⑦単
⑧敵
⑨策
⑩異

ワンポイント

音と訓

②**気**
「キ」も「ケ」も音読み。

四字熟語

②**一挙両得**
1つの行為で、同時に2つの利益を得ること。一石二鳥。

③**技術革新**
技術が進歩し、普及していくこと。イノベーション。

④**親善試合**
勝敗ではなく、友好を深めることが目的の試合。

⑥**書留郵便**
引き受け・配達の記録が残り、壊れた場合も賠償してくれる送り方。

⑦**単刀直入**
いきなり本題に入ること。刀1つを持って、敵陣に切り込むことから。

⑧**天下無敵**
この世に相手になる敵がいないほど強い(優れた)人。

(七) 対義語・類義語

① 権
② 収
③ 垂
④ 存
⑤ 成
⑥ 将
⑦ 宅
⑧ 善
⑨ 寸
⑩ 処

(八) 熟語作り

① エ・コ（資源）
② ウ・ケ（操縦）
③ ア・ク（尊重）
④ オ・キ（否定）
⑤ イ・カ（欲望）

ワンポイント

対義語

①**義務 ⇔ 権利**
②**支出 ⇔ 収入**
③**水平 ⇔ 垂直**
④**死亡 ⇔ 生存**
⑤**未熟 ⇔ 成熟**

類義語

⑥**未来 ＝ 将来**
⑦**家屋 ＝ 住宅**
⑧**改良 ＝ 改善**
⑨**直前 ＝ 寸前**
⑩**始末 ＝ 処理**

熟語作り

①**資源**…産業のもとになるもの。
②**操縦**…機械を動かすこと。
③**尊重**…大切なものとして重んじること。
④**否定**…言動や物事を打ち消すこと。
⑤**欲望**…何かをほしいと思うこと。

(九) 熟語の構成

① エ
② ア
③ イ
④ ウ
⑤ ウ
⑥ ウ
⑦ エ
⑧ ア
⑨ エ
⑩ ウ

(十) 同じ読みの漢字

① 勤続
② 金属
③ 磁針
④ 自身
⑤ 発射
⑥ 発車
⑦ 根
⑧ 値
⑨ 友
⑩ 共

ワンポイント

熟語の構成

①**登頂**…登る ← 頂に
②**取捨**…取 ⇔ 捨
③**破損**…破 ＝ 損
④**窓辺**…窓の → 辺り
⑤**半熟**…半分 → 熟する
⑥**幼児**…幼い → こども
⑦**立腹**…立てる ← 腹を
⑧**紅白**…紅 ⇔ 白
⑨**観劇**…観る ← 劇を
⑩**翌週**…翌（次の） → 週

同じ読みの漢字

①**勤続**
同じ勤務先に勤め続けること。
②**金属**
熱や電気をよく伝え、延性に富む物質の総称。
⑤**発射**
弾丸・ロケットを打ち出すこと。
⑥**発車**
電車やバスを発進させること。
⑦**根**
植物の根。物事のもとになるところ。
⑧**値**
値段。

(十一) 書き取り

① 危険
② 胸囲
③ 系
④ 今晩
⑤ 冊
⑥ 専用
⑦ 担任
⑧ 誕生
⑨ 討論
⑩ 朗読
⑪ 模型
⑫ 映像
⑬ 貯蔵
⑭ 乱
⑮ 激
⑯ 降
⑰ 縮
⑱ 納
⑲ 並
⑳ 疑

ワンポイント

書き取り

②**胸囲**
胸回りのサイズ。
③**系**
・**系**…生態系、系統。
・**係**…関係、係員。
使い分けを覚えよう。
⑤**冊**
中央の横画は両側とも突き出す。
⑥**専用**
「専」は右上に点をつけない。
⑨**討論**
問題について議論すること。「論」の右下部分の横画は「冊」のように突き出ない。
⑩**朗読**
同じく「ロウ」と読む「郎」とのちがいに注意。
⑪**模型**
「模形」と書かないように注意。
⑯**降りる**
・**降**…乗り物や役目からおりる。
・**下**…上から下に移動する。

第5回

模擬テスト 解答・解説

本冊 P.90〜95

(一) 読み

① そうち
② ひけつ
③ とうろん
④ えんどう
⑤ さんさく
⑥ しゅくしゃく
⑦ しょこく
⑧ そうさ
⑨ れきほう
⑩ まく
⑪ まど
⑫ なみ
⑬ うつ
⑭ わ
⑮ よ
⑯ すなば
⑰ す
⑱ よ
⑲ とうと・たっと
⑳ ふ

ワンポイント

読み

②**否決**
議案を承認しないと決めること。

⑥**縮尺**
地図などが実際のサイズからどれだけ縮められているかを示す割合。

⑦**諸国**
多くの国。「諸」はいろいろなという意味。

⑨**歴訪**
各地を次々と訪ねること。「歴」を使った熟語には「歴任」「歴史」がある。

⑩**幕**
物のしきりに使う布。「マク」も「バク」も音読み。

⑬**映す**
画像には「映」を使う。

⑱**善い**
特に道徳的によい場合に「善」を使うが、「良」との使い分けの基準はあいまい。読みだけ押さえておこう。

(二) 部首と部首名

① か
② イ
③ お
④ オ
⑤ き
⑥ エ
⑦ あ
⑧ ウ
⑨ け
⑩ ア

(三) 画数

① 8
② 10
③ 4
④ 5
⑤ 6
⑥ 11
⑦ 3
⑧ 6
⑨ 6
⑩ 13

(四) 送りがな

① 至る
② 厳しい
③ 垂れる
④ 供える
⑤ 幼い

ワンポイント

部首と部首名

⑨**我**
部首「ほこづくり」は「ほこがまえ」ともいい、武器や戦いに関係する字が多い。成・戒など。

画数

③**処**
左の「夂」を先に書く。にょうを書く順番に注意。
・先に書く（走、麦）
・後に書く（辶、廴）

⑦**后**
画数でよく出る漢字。1、2画目を分けて書くことを覚える。

送りがな

⑤**幼い**
「な」を書かない点に注意。

(五) 音と訓（ひらがな：訓　カタカナ：音）

① イ　土《ド》手《て》
② エ　布《ぬの》地《ジ》
③ イ　格《カク》安《やす》
④ ア　危《キ》険《ケン》
⑤ イ　晩《バン》飯《めし》
⑥ ウ　巻《ま》物《もの》
⑦ ア　看《カン》護《ゴ》
⑧ イ　台《ダイ》所《どころ》
⑨ ウ　筋《すじ》金《がね》
⑩ ウ　針《はり》箱《ばこ》

(六) 四字熟語

① 誌
② 衆
③ 吸
④ 機
⑤ 源
⑥ 域
⑦ 預
⑧ 模
⑨ 補
⑩ 腸

ワンポイント

音と訓

①**手**
「て」は訓読み。「派手」なども よく出る問題。

四字熟語

②**公衆衛生**
保健機関や地域で行われる組織的な衛生活動。

③**気管吸引**
気管のたんなどを吸い取って呼吸をしやすく保つこと。

④**心機一転**
動機をきっかけとして、すっかり気持ちが（よい方向に）変わること。

⑤**医食同源**
病気治療も食事も、健康維持のために欠かせないという考え。

⑧**人体模型**
ヒトの体を模した人形。授業であまり使われないが、怪談話で活躍する。

⑩**十二指腸**
胃につづく小腸の上部。

(七) 対義語・類義語

① 異
② 乱
③ 私
④ 就
⑤ 縦
⑥ 察
⑦ 革
⑧ 簡
⑨ 朗
⑩ 己

ワンポイント

対義語
①正常⇔異常
②整理⇔散乱
③公立⇔私立
④辞任⇔就任
⑤横長⇔縦長

類義語
⑥注視＝観察
⑦改善＝改革
⑧容易＝簡単
⑨快活＝明朗
⑩自分＝自己

(八) 熟語作り

① ア・ク（誤報）
② イ・コ（登頂）
③ オ・カ（反射）
④ ウ・キ（秘蔵）
⑤ エ・ケ（未納）

熟語作り
①誤報…まちがった知らせ。
②登頂…山の上にのぼること。
③反射…光などがはねかえること。
④秘蔵…大事にしまっておくこと。
⑤未納…まだおさめていないこと。

(九) 熟語の構成

① イ
② イ
③ ウ
④ ア
⑤ ウ
⑥ ウ
⑦ イ
⑧ エ
⑨ ウ
⑩ ウ

ワンポイント

熟語の構成
①樹木…樹＝木
②除去…除＝去
③温泉…温かい→泉
④干満…干潮⇔満潮
⑤疑念…疑う→念(＝思)
⑥若者…若い→者
⑦存在…存＝在
⑧洗面…洗う←面を
⑨潮風…潮の→風
⑩特権…特別の→権利

(十) 同じ読みの漢字

① 帰庁
② 貴重
③ 中止
④ 注視
⑤ 展示
⑥ 点字
⑦ 薬
⑧ 訳
⑨ 優良
⑩ 有料

同じ読みの漢字
①帰庁
外回りなどから役場にもどること。
②貴重
非常に価値があること。
③中止
取りやめること。
④注視
じっと見つめること。
⑤展示
美術品などを並べて公開すること。
⑥点字
目の不自由な方がさわって読むための文字。6つの点の組み合わせでつくる。
⑨優良
優れていること。
⑩有料
料金が必要なこと。

(十一) 書き取り

① 俳句
② 遺産
③ 深刻
④ 独奏
⑤ 感激
⑥ 恩人
⑦ 興奮
⑧ 棒
⑨ 価値
⑩ 創設
⑪ 正座
⑫ 欲
⑬ 劇
⑭ 動
⑮ 裁
⑯ 傷
⑰ 乳
⑱ 裏庭
⑲ 絹
⑳ 宝

ワンポイント

書き取り
③深刻
深く心に刻みつけられる様子。「刂」のはねをきちんと書こう。
④独奏
1人で演奏すること。ソロ。「奏」は三→人→二→人と書く。
⑥恩人
世話になった人のこと。「恩」は口の中に大と書く。形の似た困、田と間ちがえない。
⑦興奮
感情が高ぶること。画数が多いので、パーツごとにしっかり書こう。
⑧棒
最後の1画ははねない。
⑩創設
「創」は𠆢の下に横画が1本入る。
⑯傷
右側の下の部分は湯や腸と同じ。「易」よりも1本横画が多いことに注意。

第6回

模擬テスト 解答・解説

本冊 P.96〜101

(一) 読み

① こんらん
② しゅうろく
③ こうそう
④ えいぞう
⑤ ぶっかく
⑥ けんり
⑦ もけい
⑧ ようさん
⑨ じゅえき
⑩ みと
⑪ つと
⑫ ほ
⑬ うたが
⑭ さば
⑮ のぞ
⑯ しりぞ
⑰ おさ
⑱ たず
⑲ おさな
⑳ つくえ

ワンポイント

読み

①**混乱**
訳が分からないほど乱れること。「乱」の訓読み「みだ（れる）」もよく出る。

⑤**仏閣**
寺の建物。「閣」は他に内閣の意味もある。

⑧**養蚕**
蚕という虫を飼って、そのまゆから絹糸を作ること。「蚕」は訓読み「かいこ」でもよく出る。

⑯**退く**
退却すること。送りがなの問題でも、出されやすい。

⑱**訪ねる**
訪問すること。「おとず（れる）」は中学で習う読み。

⑳**机**
デスク。「机」の部首は「きへん」。ところが「几」は「つくえ」という部首にもなる。

(二) 部首と部首名

① こ ② ケ
③ あ ④ キ
⑤ け ⑥ オ
⑦ く ⑧ コ
⑨ え ⑩ ア

(三) 画数

① 2 ② 6
③ 5 ④ 7
⑤ 4 ⑥ 7
⑦ 3 ⑧ 7
⑨ 2 ⑩ 4

(四) 送りがな

① 済む
② 従う
③ 痛み
④ 届かない
⑤ 閉める

ワンポイント

部首と部首名

⑨**冊**
パッと見て部首が分かりにくいので注意。部首「どうがまえ」は「まきがまえ」「けいがまえ」ともいう。

画数

⑨**片**
1画目は左の払い。その後、↓→という順に書く。

送りがな

②**従う**
活用語尾から送りがなにする。
・「従わ」ない
・「従う」とき
→「わ」「う」から送りがなをつける。

⑤**閉める**
「閉まる」「閉める」の区別がつくように送りがなをつける。

(五) 音と訓（ひらがな：訓　カタカナ：音）

① イ　軍《グン》手《て》
② ウ　窓《まど》口《ぐち》
③ ア　温《オン》泉《セン》
④ イ　試《シ》合《あい》
⑤ ウ　若《わか》葉《ば》
⑥ ア　探《タン》検《ケン》
⑦ エ　値《ね》段《ダン》
⑧ イ　札《サッ》束《たば》
⑨ イ　重《ジュウ》箱《ばこ》
⑩ エ　組《くみ》曲《キョク》

(六) 四字熟語

① 射
② 拡
③ 空
④ 暖
⑤ 賛

⑥ 就
⑦ 宅
⑧ 源
⑨ 担
⑩ 宣

ワンポイント

音と訓

⑤**葉**
「は」は訓読み。

四字熟語

③**空前絶後**
それまでに例がなく、その後も起こりそうにないくらい、ありえないこと。

④**対馬暖流**
九州の西から日本海に流れこむ暖かい海流。

⑤**自画自賛**
自分をほめること。「賛」は絵に添える詩で、普通は他人が書くもの。自分の絵に自分で賛を書くことから。

⑦**集合住宅**
1つの建物に複数の世帯が入居している住宅。

⑨**負担軽減**
作業量や費用、責任の重さを軽くすること。

(七) 対義語・類義語

①逆
②奮
③亡
④著
⑤純
⑥処
⑦域
⑧異
⑨敬
⑩展

(八) 熟語作り

①オ・カ（演奏）
②エ・キ（吸引）
③ア・コ（敬老）
④ウ・ク（警報）
⑤イ・ケ（誠実）

ワンポイント

対義語

①**順風** ⇔ **逆風**
②**冷静** ⇔ **興奮**
③**誕生** ⇔ **死亡**
④**読者** ⇔ **著者**
⑤**複雑** ⇔ **単純**

類義語

⑥**始末** ＝ **処分**
⑦**地区** ＝ **地域**
⑧**反対** ＝ **異議**
⑨**感服** ＝ **敬服**
⑩**進歩** ＝ **発展**

熟語作り

①**演奏**…音楽をかなでること。
②**吸引**…すいこむこと。
③**敬老**…高齢者を大切にすること。
④**警報**…注意をよびかける知らせ。
⑤**誠実**…真心をもって接すること。

(九) 熟語の構成

①ア
②エ
③イ
④イ
⑤ウ
⑥ア
⑦イ
⑧イ
⑨イ
⑩ウ

(十) 同じ読みの漢字

①回送
②改装
③慣習
④観衆
⑤厳禁
⑥現金
⑦当分
⑧糖分
⑨独創
⑩独走

ワンポイント

熟語の構成

①**増減**…増 ⇔ 減
②**洗顔**…洗う ← 顔を
③**郷里**…郷 ＝ 里
④**困苦**…困 ＝ 苦
⑤**順延**…順に → 延ばす
⑥**乗降**…乗 ⇔ 降
⑦**善良**…善 ＝ 良
⑧**停止**…停 ＝ 止
⑨**拝礼**…拝 ＝ 礼
⑩**短針**…短い → 針

同じ読みの漢字

①**回送**
交通機関の車両を営業外で移動させること。
②**改装**
建物の中や外観を新しくすること。
③**慣習**
社会一般に通じるならわし。
④**観衆**
大勢の見物人。
⑦**当分**
しばらくの間。
⑧**糖分**
糖類の成分。甘み。
⑨**独創**
独自の発想でつくり出すこと。
⑩**独走**
1人で走ること。

(十一) 書き取り

①口承
②憲法
③骨折
④悪銭
⑤巻末
⑥臨時
⑦磁石
⑧鉄棒
⑨故障
⑩券売機
⑪砂
⑫補
⑬縦
⑭供
⑮穴
⑯刻
⑰背
⑱裏側
⑲訳
⑳腹

ワンポイント

書き取り

①**口承**
口づてに伝承すること。「承」の中央は「了」→「三」の順に書く。
②**憲法**
基本となるきまり。特に国の基本方針となる法。
④**悪銭**
不正なことをして得たお金。「悪銭身につかず」ということわざがある。
⑤**巻末**
本の最後。「末」は、「未」とのちがいをはっきり書こう。
⑩**券売機**
「券」の下は「刀」。「力」にしないこと。
⑫**補う**
左側は「礻」ではなく「衤」。
⑯**刻む**
左側の「亥」の形に注意して書こう。
⑱**裏側**
「裏」は「衣」の真ん中に「里」をはさんだ形の字。

第7回 模擬テスト 解答・解説

本冊 P.102〜107

(一) 読み

① しゅしょう
② しゅうきょう
③ しゃくはち
④ うちゅう
⑤ ようしょう
⑥ しゃそう
⑦ しゅくしょう
⑧ せんでん
⑨ ちいき
⑩ てき
⑪ てつぼう
⑫ そ
⑬ うらにわ
⑭ きび
⑮ かいこ
⑯ わか
⑰ おさ
⑱ いただき
⑲ たまご
⑳ われ

ワンポイント

読み

①**主将**
総大将。キャプテン。

②**宗教**
「宗」は他に「ソウ」とも読む（中学で習う読み）。

⑥**車窓**
「窓」の訓読み「まど」もよく出る。

⑧**宣伝**
商品や主張を広めること。「宣」には広く知らせるという意味がある。

⑩**敵**
音読み「テキ」の他に、中学で習う訓読み「かたき」がある。

⑯**若い**
「若」の音読み「ジャク」「ニャク」は5級では出ない。

⑱**頂**
名詞の場合は1字で「いただき」と読み、動詞の場合は「いただ（く）」と送りがなで「く」をつける。

(二) 部首と部首名

① お
② イ
③ け
④ コ
⑤ か
⑥ ウ
⑦ こ
⑧ エ
⑨ く
⑩ ア

(三) 画数

① 8
② 11
③ 5
④ 12
⑤ 4
⑥ 10
⑦ 4
⑧ 7
⑨ 7
⑩ 8

(四) 送りがな

① 映る
② 疑わ
③ 洗う
④ 認め
⑤ 補っ

ワンポイント

部首と部首名

⑤**装**
部首は「ころも」。「ネ」と同じで衣服に関する漢字が多い。

画数

①**推**
「隹」の書き順は、左側「ノ→亻」、真ん中「ノ→亻→」、「三」の順に書く。よく出されるのでチェックしておこう。

送りがな

①**映る**
活用語尾から送りがなをつける。
・「映ら」ない
・「映る」とき
→「ら」「る」から送りがなをつける。
なお、「ハエル」と読む場合は「映える」。

(五) 音と訓（ひらがな：訓 カタカナ：音）

① イ　残《ザン》高《だか》
② ア　規《キ》律《リツ》
③ イ　番《バン》組《ぐみ》
④ エ　手《て》配《ハイ》
⑤ ア　心《シン》臓《ゾウ》
⑥ ア　創《ソウ》造《ゾウ》
⑦ ウ　背《せ》骨《ぼね》
⑧ ア　郷《キョウ》里《リ》
⑨ ア　通《ツウ》訳《ヤク》
⑩ ア　納《ノウ》入《ニュウ》

(六) 四字熟語

① 乱
② 道
③ 尊
④ 処
⑤ 討

---

⑥ 券
⑦ 密
⑧ 専
⑨ 純
⑩ 臨

ワンポイント

音と訓

①**高**
「たか」は訓読み。音読みは「コウ」。よく見る漢字ほど意識せずに読めてしまう。音読み訓読みのどちらか、冷静に判断しよう。

四字熟語

①**一心不乱**
一つのことに熱中し、他のものでは心が乱れないこと。

②**言語道断**
言葉に表せないほどひどいこと。

③**人権尊重**
人間らしく生きる権利を尊重すること。

④**応急処置**
ケガなどに対してとりあえずほどこす手当て。

⑥**証券市場**
株式や債券などを流通させる市場。

⑦**人口密度**
単位面積当たりの人口。

⑨**単純明快**
文章や物事が分かりやすいさま。

⑩**臨機応変**
状況に応じた手段をとること。

(七) 対義語・類義語

① 暖
② 己
③ 善
④ 派
⑤ 否
⑥ 幕
⑦ 樹
⑧ 示
⑨ 就
⑩ 担

(八) 熟語作り

① オ・ケ（遺産）
② エ・キ（加盟）
③ イ・コ（改革）
④ ウ・ク（誠意）
⑤ ア・カ（大衆）

ワンポイント

対義語

① **寒冷 ⇕ 温暖**
② **他者 ⇕ 自己**
③ **悪人 ⇕ 善人**
④ **地味 ⇕ 派手**
⑤ **可決 ⇕ 否決**

類義語

⑥ **開演 ＝ 開幕**
⑦ **大木 ＝ 大樹**
⑧ **指図 ＝ 指示**
⑨ **着任 ＝ 就任**
⑩ **重荷 ＝ 負担**

熟語作り

① **遺産**…先人が残した業績や財産。
② **加盟**…団体や組織に入ること。
③ **改革**…よりよいものに変えること。
④ **誠意**…正直な心。真心。
⑤ **大衆**…大勢の人。

(九) 熟語の構成

① エ
② ア
③ ウ
④ ウ
⑤ イ
⑥ イ
⑦ ウ
⑧ ウ
⑨ ア
⑩ ウ

(十) 同じ読みの漢字

① 巻
② 看
③ 景観
④ 警官
⑤ 校歌
⑥ 高価
⑦ 射
⑧ 居
⑨ 潮
⑩ 塩

ワンポイント

熟語の構成

① **閉館**…閉める ↑ 館を
② **公私**…公 ⇕ 私
③ **城門**…城の ↓ 門
④ **異国**…異なる ↓ 国
⑤ **勤務**…勤 ＝ 務
⑥ **禁止**…禁 ＝ 止
⑦ **敬意**…敬う ↓ 意
⑧ **視点**…視る ↓ 点
⑨ **縦横**…縦 ⇕ 横
⑩ **秒針**…秒の ↓ 針

同じ読みの漢字

① **巻**
巻物。書籍。
② **看**
手をかざして見る。見守る。
③ **景観**
景色。眺め。
④ **警官**
警察官。特に巡査（おまわりさん）。
⑨ **潮**
海流。海水の満ち引き。
⑩ **塩**
塩味の加減。食塩。

(十一) 書き取り

① 議論
② 忠実
③ 優勝
④ 星座
⑤ 解除
⑥ 高層
⑦ 定刻
⑧ 保存
⑨ 枚
⑩ 承知
⑪ 紅
⑫ 届
⑬ 吸
⑭ 済
⑮ 株
⑯ 絹糸
⑰ 呼
⑱ 従
⑲ 痛
⑳ 危

ワンポイント

書き取り

① **議論**
意見を論じ合うこと。
② **忠実**
真心をもってつとめること。
③ **優勝**
最も優れていること。「勝」の右下部分は「力」。「券」とは形が異なる。
⑥ **高層**
高く階が重なること。
⑧ **保存**
「存」の3画目は、2画目の左払いから少し上にはみ出す。
⑫ **届く**
差し出したものが向こうに着く。「尸」の下は「由」で縦画を突き出す。
⑭ **済む**
すっかり終わる。「氵」＋「斉」。よく似た「斎」とまちがえないように注意。
⑳ **危ない**
送りがなを問う問題でもよく出る。

弱点が見つかる！　ミニテスト採点表

	読み	部首と部首名	画数	送りがな	音と訓	四字熟語	熟語作り	熟語の構成	同じ読みの漢字	対義語・類義語	書き取り
1回	/10	/12			/16				/20	/10	/16
2回	/10			/10	/16	/20	/6			/10	/16
3回	/10		/16			/20		/24		/10	/16
4回	/10	/12			/16				/20	/10	/16
5回	/10			/10	/16	/20	/6			/10	/16
6回	/10		/16			/20		/24		/10	/16
7回	/10	/12			/16				/20	/10	/16
8回	/10			/10	/16	/20	/6			/10	/16
9回	/10		/16			/20		/24		/10	/16
10回	/10	/12			/16				/20	/10	/16
小計	目標：90/100	目標：43/48	目標：43/48	目標：27/30	目標：79/112	目標：96/120	目標：17/18	目標：58/72	目標：64/80	目標：80/100	目標：128/160
得点率	%	%	%	%	%	%	%	%	%	%	%
11回	/10			/10	/16	/20	/6			/10	/16
12回	/10		/16			/20		/24		/10	/16
13回	/10	/12			/16				/20	/10	/16
14回	/10			/10	/16	/20	/6			/10	/16
15回	/10		/16			/20		/24		/10	/16
16回	/10	/12			/16				/20	/10	/16
17回	/10			/10	/16	/20	/6			/10	/16
18回	/10		/16			/20		/24		/10	/16
19回	/10	/12			/16				/20	/10	/16
20回	/10			/10	/16	/20	/6			/10	/16
小計	目標：90/100	目標：33/36	目標：43/48	目標：36/40	目標：79/112	目標：112/140	目標：22/24	目標：58/72	目標：48/60	目標：80/100	目標：128/160
得点率	%	%	%	%	%	%	%	%	%	%	%
21回	/10		/16			/20		/24		/10	/16
22回	/10	/12			/16				/20	/10	/16
23回	/10			/10	/16	/20	/6			/10	/16
24回	/10		/16			/20		/24		/10	/16
25回	/10	/12			/16				/20	/10	/16
26回	/10			/10	/16	/20	/6			/10	/16
27回	/10		/16			/20		/24		/10	/16
28回	/10	/12			/16				/20	/10	/16
29回	/10			/10	/16	/20	/6			/10	/16
30回	/10		/16			/20		/24		/10	/16
小計	目標：90/100	目標：33/36	目標：58/64	目標：27/30	目標：68/96	目標：112/140	目標：17/18	目標：77/96	目標：48/60	目標：80/100	目標：128/160
得点率	%	%	%	%	%	%	%	%	%	%	%